# 美に効くサラダ

竹内冨貴子

野菜の栄養まるごとギュッ！ おいしく食べてきれいになれる
## デイリーサラダ100

女子栄養大学出版部

Introduction

# きょう食べたものが、
# 明日の体をつくります

いつまでもきれいで、若々しくありたい──

多くの女性にとって、きっと永遠のテーマでしょう。そのためにいろいろな美容・健康法に挑戦したり、効果があると話題の化粧品を試してみたり…。でも、どんなに外側からお肌や髪のケアをしても、"食べたものが体をつくる"ということを忘れてしまっては、体の"内側から"きれいになることはできません。きょう自分が食べたもので、明日、そして未来の体がつくられていく。私たちの「きれい」や「健康」を根底から支えているのは、毎日の食事であり、食べものなのです。

といっても、「これさえ食べていれば安心」という万能な食べものがあるわけではありません。体をつくり、活力のもととなる肉や魚、エネルギーになる穀類、そして体の働きをスムーズにする野菜や海藻、きのこなど…これらを偏りなくとることで、自然と栄養のバランスも整います。そのうえで、日々の生活でどうしても不足しがちな野菜は、特に意識してとるように心がけたいものです。

# 野菜、足りていますか？
# 調理法を工夫して、しっかり摂取

野菜には、ビタミンやミネラル、食物繊維など、私たちの「きれい」や「健康」を生み出し、維持するのに欠かせない大切な栄養が豊富に含まれています。

本書では、そんな野菜をおいしく、効果的に摂取できるサラダのレシピをギュギュッと詰め込みました。

野菜それぞれが持つ栄養・機能性成分を生かした抗酸化ビタミン豊富な「さびない体をつくるサラダ」、食物繊維たっぷりの「おなかすっきりサラダ」から、忙しい日に役立つ「作りおきサラダ」、肉や魚と組み合わせた「ボリュームサラダ」まで…。生野菜ばかりたくさんは食べられない！　というときには、加熱することで野菜をたっぷりとれる「ホットサラダ」や、スープやジュースにしていただく「飲むサラダ」もおすすめです。

おいしく食べて、きれいになれる。
そんないいこと尽くめのサラダ生活、きょうから始めてみませんか？

# Contents
── 美に効くサラダ ──

- 2　はじめに
- 8　"美に効くサラダ"って？
　　　〜野菜の栄養の話

## 毎日食べたい
## シンプルデイリーサラダ

- 10　トマトと大豆のイタリアンサラダ
- 11　キャベツとにんじんのヘルシーコールスロー
- 12　ブロッコリーとじゃがいもの炒めサラダ
- 13　もやしときゅうりの低カロリーサラダ
- 14　かぼちゃとプルーンのスイートサラダ

## PART1　*Vitamin salad*
## ビタミンたっぷり
## さびない体をつくるサラダ

- 16　キドニービーンズとパプリカのチーズサラダ
- 17　キャベツとスナップえんどうの
　　　カレードレッシングサラダ
- 18　かぼちゃとクレソンのアーモンドサラダ
- 19　油揚げとにんじんのサラダ
- 20　ルッコラとキウイのサラダ
- 21　おからとブロッコリーのタラモ風
- 22　ほうれん草とれんこんの和風サラダ
- 23　せりとじゃがいものごまマヨネーズ
- 23　セロリとにんじんの甘酢漬け
- 24　菜の花のごま明太子マヨネーズあえ
- 25　オリーブとプチトマトのマリネ
- 25　モロヘイヤと厚揚げの辛味あえ

## PART2　*Dietary fiber salad*
## 食物繊維のチカラで
## おなかすっきりサラダ

- 28　しめじとごぼうのイタリアンサラダ
- 29　豆とサニーレタスのサラダ
- 30　なすとかぼちゃのヨーグルトドレッシング
- 31　切り干し大根のピリ辛サラダ
- 31　サーモンとカリフラワーのナッツサラダ
- 32　ひじきとトマトのマリネ
- 33　おからのカレー風味サラダ
- 34　わかめとサンチュのキムチドレッシング
- 35　にんじんのたらこ炒め
- 35　納豆なめこおろし
- 36　カリフラワーとほうれん草のサラダ
- 37　ブロッコリーと豆のマリネサラダ

## PART3　*Hot salad*
## 野菜をたっぷり食べられる
## ホットサラダ

- 40　温野菜のごまソースかけ
- 41　いかとエリンギのアンチョビ炒め
- 42　ブロッコリーとあさりのくず煮
- 43　ザーサイとアスパラの炒めもの
- 44　プチトマトとれんこんのソテー
- 45　ゴーヤーのにんにく豆板醤炒め
- 45　にんじんとにんにくの芽のピリ辛炒め
- 46　ひよこ豆とピーマンのカレー炒め
- 46　オリーブとパプリカのソテー
- 47　ベーコン入りジャーマンポテト
- 48　なすとパプリカのラタトゥイユ
- 49　かぼちゃとほたてのチーズグラタン
- 50　チンゲン菜とセロリのオイスターソースあえ
- 51　モロヘイヤと油揚げの煮浸し
- 51　ブロッコリーとじゃがいものミルク煮

### 野菜ひとつでミニサラダ

- 52　にんじんのコーンクリーム煮
- 53　ターサイのスープ浸し
- 53　そら豆の甘煮
- 54　オクラのごまあえ
- 54　ルッコラのアンチョビ炒め

| | |
|---|---|
| 55 | グリーンアスパラのチーズ炒め |
| 55 | ブロッコリーのしょうが風味あえ |
| 56 | かぶの葉とじゃこのごま炒め |
| 56 | かぼちゃのはちみつレモンあえ |
| 57 | 芽キャベツのカレーマヨあえ |
| 57 | チンゲン菜のにんにく炒め |

## PART4  Stock salad
### 忙しい日にお役立ち
# 作りおきサラダ

| | | |
|---|---|---|
| **60** | ごぼうときのこの炒め煮 | |
| 61 | ARRANGE 1 | ごぼうのエスニックサラダ |
| | ARRANGE 2 | ごぼうのマリネ |
| **62** | パプリカとツナのマリネ | |
| 63 | ARRANGE 1 | パプリカとツナ、豆のサラダ |
| | ARRANGE 2 | パプリカとツナ、アスパラの炒めもの |
| **64** | 大根とにんじんのエスニックなます | |
| 65 | ARRANGE 1 | 香菜とサニーレタスのサラダ |
| | ARRANGE 2 | えびのエスニック炒め |
| **66** | 小松菜のナムル | |
| 67 | ARRANGE 1 | 小松菜と春雨のあえもの |
| | ARRANGE 2 | 小松菜と豆腐のじゃこサラダ |
| **68** | ひじきとレンズ豆のマリネ | |
| 69 | ARRANGE 1 | 和風ポテトサラダ |
| | ARRANGE 2 | ブルスケッタ |

## PART5  Filling salad
### 良質なたんぱく質と合わせて
# ボリュームサラダ

| | |
|---|---|
| 72 | 蒸し鶏とクレソンのごまサラダ |
| 73 | ローストビーフとじゃがいものサラダ |
| 74 | ささみとオクラのとろとろサラダ |
| 74 | レバーとモロヘイヤのサラダ |
| 75 | ゆで豚のオニオンサラダ |
| 76 | 焼き野菜の肉みそかけ |
| 77 | 蒸し鶏のヨーグルトトマトソース |
| 78 | かつおと水菜の中国風サラダ |
| 79 | 春菊と魚介類のサラダ |
| 80 | ゴーヤーとたこのエスニックサラダ |
| 81 | 鯛のサラダ風カルパッチョ |
| 81 | あじと水菜のごま風味サラダ |

## PART6  Drinking salad
### 野菜の栄養をまるごといただく
# 飲むサラダ

| | |
|---|---|
| 84 | ほうれん草とかぼちゃの豆乳スープ |
| 85 | 菜の花とれんこんのすり流し汁 |
| 85 | コーンとしめじの中国風スープ |
| 86 | ひよこ豆入り野菜スープ |
| 87 | 豆乳ガスパチョ |
| 87 | ビーツのポタージュ |
| 88 | 小松菜入り豆乳<br>にんじんとあんずのドリンク<br>きなこほうれん草ミルク |
| 89 | トロピカルフルーツとにんじんのドリンク<br>アップルグリーンドリンク<br>プチトマトとカリフラワーのイタリアンドリンク |
| 90 | ブロッコリーとパイナップルのヨーグルトドリンク<br>赤い野菜のヨーグルトセーキ<br>ほうれん草と青じそのドリンク |
| 91 | パプリカとキウイのドリンク<br>かぼちゃとアーモンドのホットドリンク<br>さつまいものホットドリンク |

| | |
|---|---|
| 26 | *Column* ❶<br>毎日の食事でとりたい　抗酸化ビタミンの話 |
| 38 | *Column* ❷<br>目指せ、腸美人！　食物繊維の話 |
| 58 | *Column* ❸<br>きれいと健康に有効　機能性成分の話 |
| 70 | *Column* ❹<br>おいしいサラダのための　5つのヒント |
| 82 | *Column* ❺<br>健康美に欠かせない　たんぱく質の話 |

92　栄養価一覧

### この本の決まりごと

- 1カップ＝200㎖、大さじ1＝15㎖、小さじ1＝5㎖です。
- 調味料で小さじ⅙より少ないときは「少量」と記しています。
- レシピ中の「塩ゆで」は、塩少量を加えた熱湯でゆでることを指しています。
- 野菜は特に注釈のない限り、中くらいのものを皮をむいて使用。重量は基本的に正味重量(皮をむくなど下処理をしたあとの重さ)で示しています。
- 電子レンジは600Wのものを使用しました。加熱時間は目安です。機種や使用年数などによって差がありますので、お使いのものに合わせて加減してください。

Vegetables Nutrition

# "美に効くサラダ"って?
## ～野菜の栄養の話

ビタミンやミネラルが豊富で、毎食、積極的にとりたい野菜。冷蔵庫にあるもので、思い立ったらパッと作れるサラダなら、食卓に気軽に登場させることができます。自分に不足しがちな栄養素や、野菜が持つ機能性成分を知って「きれい」と「健康」に効かせましょう。

| しみを防いで<br>美しくじょうぶな肌をつくる! | アンチエイジングの<br>大敵・活性酸素を除去する |
|---|---|

### ビタミンC
*Vitamin C*

### 抗酸化ビタミン
*Antioxidant Vitamin*

野菜やじゃがいもに豊富なビタミンCは、コラーゲンの生成に働き、じょうぶな血管や筋肉、皮膚などをつくります。酸化を防いで老化や動脈硬化を予防したり、鉄の吸収をサポートする働き、抗ストレス作用なども。水に溶け、加熱など調理による損失も大きいので、調理法にひと工夫して摂取したい栄養素です。

細胞を酸化させる活性酸素は、しみやしわといった老化の原因に。がんや動脈硬化、糖尿病などの生活習慣病の誘因にもなります。ビタミンのなかでもβ-カロテン、左記のビタミンC、ビタミンEは「抗酸化ビタミン」と呼ばれ、活性酸素の働きを抑える役割を果たしてくれます。β-カロテンは抗酸化力が最も強く、ビタミンCとビタミンEには、抗酸化作用のほかに過酸化脂質の生成を抑える働きもあります。これら抗酸化ビタミンが含まれる野菜を食べることで、若々しい体の維持につながります。

**野菜はどれくらいとればいい?**

健康のために1日にとりたい野菜の目標量は350gとされています。1回の食事でとりたい野菜の量は約120g。生野菜なら両手いっぱいにのるくらい、加熱したものなら片手にのるくらいが目安です。野菜にはカロテンやほかのミネラル、ビタミン類を多く含む緑黄色野菜と、ビタミンCや食物繊維が豊富な淡色野菜があります。1日の目標量350gのうち、約⅓の120g以上を小松菜、ブロッコリー、ほうれん草、ピーマン、かぼちゃ、トマト、にんじんなどの緑黄色野菜でとることが勧められています。

---

| ナトリウムを排泄しやすくし<br>高血圧の予防に働く | 腸内環境を整えデトックス!<br>脂肪をためない体へ |
|---|---|
|  |  |
| ## カリウム<br>*Potassium* | ## 食物繊維<br>*Dietary Fiber* |
|  | 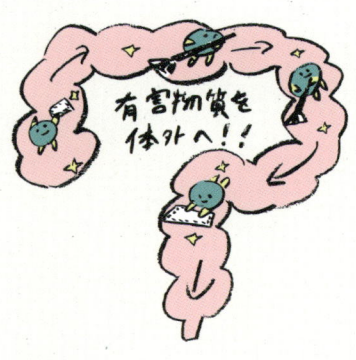 |
| 幅広い食品に含まれるカリウムですが、特に野菜やくだもの、いも類に多く含まれています。生命活動の維持に必須のミネラルで、ナトリウムを体外に排出しやすくし、高血圧の予防に役立ちます。水溶性で、調理によって損失しやすいので、スープのように煮汁ごと摂取すると効果的です。 | 女性の悩みの上位に挙がる便秘の予防・改善には、野菜や豆類、きのこ、未精製の穀類に多く含まれる食物繊維が役立ちます。食物繊維は腸内環境を改善し、便秘や腸の病気を防ぐほか、食後の血糖値や血中脂質の上昇をゆるやかにし、体脂肪が増えるのを抑えてくれます。 |

# 毎日食べたい
# シンプルデイリーサラダ

「野菜をもっと食べたい」「最近、野菜が足りていないかも…」そんなとき知っていると心強いのが、おうちにある野菜で思い立ったらすぐに作れる、こんな気軽なサラダたちです。

トマトをマリネしておくひと手間で、味がなじんでぐっとおいしく！

## トマトと大豆のイタリアンサラダ

### 材料（2人分）
| | |
|---|---|
| トマト | 1個 |
| 大豆（水煮） | 60g |
| A　バジル（ちぎる） | 2～3枚分 |
| 　　にんにく（みじん切り） | ¼片分 |
| 　　オリーブオイル | 大さじ1 |
| 　　塩 | 小さじ¼ |
| 　　こしょう | 少量 |
| ベビーリーフ | 30g |

### 作り方
1 トマトはひと口大に切り、大豆は水洗いして水けをきる。

2 Aを混ぜ合わせ、1を加えてあえ、冷蔵庫で30分ほど味をなじませる。食べる直前にベビーリーフを加えて混ぜる。

---

nutrition
〈1人分〉

エネルギー　116kcal
塩分　0.9g

マヨネーズのかわりにヨーグルトを使ってさわやかに
# キャベツとにんじんのヘルシーコールスロー

## 材料(2人分)

| | |
|---|---|
| キャベツ | 200g |
| にんじん | 10g |
| 玉ねぎ | 20g |
| A プレーンヨーグルト | 大さじ2 |
| A オリーブオイル | 大さじ1 |
| A 塩 | 小さじ¼ |
| A 砂糖・こしょう | 各少量 |
| パセリ(みじん切り) | 適量 |

## 作り方

1. キャベツは太めのせん切りにし、重量の0.5%ほどの塩(分量外)をふり、しんなりしたら水けを軽く絞る。にんじんと玉ねぎはせん切りにし、それぞれ塩少量(分量外)をふり、しんなりしたら水洗いして水けを絞る。
2. Aを混ぜ合わせ、1を加えてあえる。器に盛り、パセリをふる。

nutrition 〈1人分〉
エネルギー 95kcal
塩分 0.8g

ビタミン満載の組み合わせ。じゃがいものシャキシャキ感がポイントです

# ブロッコリーとじゃがいもの炒めサラダ

### 材料（2人分）

| | |
|---|---|
| ブロッコリー | 50g |
| じゃがいも | 大1個 |
| パプリカ（赤） | 40g |
| にんにく（みじん切り） | 1/4片分 |
| オリーブオイル | 大さじ1/2 |
| A しょうゆ | 小さじ1/3 |
| 　塩 | 小さじ1/4 |
| 　こしょう | 少量 |

### 作り方

1. ブロッコリーの茎は5mm角の棒状に切り、つぼみは茎と同じ長さに切る。じゃがいもは皮つきのまま5mm角の棒状に切り、水にさらしてアクをぬく。パプリカは縦7mm幅に切る。

2. フライパンにオリーブオイルとにんにくを弱火で熱し、香りが立ったら火を強めてじゃがいもを炒める。

3. 油がまわったらブロッコリーを加え、じゃがいもの表面が透き通ってきたらパプリカを加えて炒める。Aを加え、さらに炒めて火を通す。

nutrition
〈1人分〉
エネルギー　102kcal
塩分　0.9g

ダイエット中にもうれしいヘルシーサラダ。しょうがと酢を効かせて、さっぱりと
# もやしときゅうりの低カロリーサラダ

## 材料（2人分）
| | |
|---|---|
| もやし | ½袋 |
| きゅうり | ½本 |
| レタス | 1枚 |
| A 酢 | 大さじ½ |
| ごま油 | 小さじ1 |
| しょうゆ | 小さじ⅓ |
| 塩 | 小さじ⅕ |
| こしょう | 少量 |
| しょうが（せん切り） | ¼かけ分 |

## 作り方
1 もやしは時間があればひげ根をとり、熱湯でゆでる。きゅうりは縦に4等分してから斜め薄切りにし、レタスは太めのせん切りにする。それぞれ塩少量（分量外）をふり、しんなりしたら水洗いして水けを絞る。

2 Aを混ぜ合わせ、1としょうがを加えてあえる。

nutrition
〈1人分〉
エネルギー　35kcal
塩分　0.7g

バナナとはちみつをドレッシングがわりに。朝食にも、おやつにも
# かぼちゃとプルーンのスイートサラダ

## 材料（2人分）

かぼちゃ……………………200g
ドライプルーン（種なし）……3個
A ┃ バナナ……………………½本
  ┃ はちみつ・オリーブオイル
  ┃ …………………各大さじ½
シナモンパウダー……………少量

## 作り方

1 かぼちゃはくし形切りにし、ラップに包んで電子レンジで2分加熱し、あら熱をとる。プルーンは5mm幅に切る。

2 Aを合わせ、バナナをフォークなどでつぶしてペースト状にする。1を加えてあえ、器に盛り、シナモンをふる。

nutrition
〈1人分〉
エネルギー　184kcal
塩分　　　　　0g

*Vitamin salad*

## PART1

# ビタミンたっぷり
# さびない体をつくるサラダ

いつまでも健康で若々しくいるために
毎日しっかり摂取したいのが
β-カロテン、ビタミンＣ、ビタミンＥの
いわゆる"抗酸化ビタミン"。
主に緑黄色野菜に多く含まれる抗酸化ビタミンは
肌や体の老化につながる活性酸素を撃退してくれます。
日々の食事に取り入れて、さびない体をつくりましょう。

Vitamin salad 01

# キドニービーンズと
# パプリカのチーズサラダ

赤パプリカの色素成分には強い抗酸化作用が!

### 材料（2人分）

キドニービーンズ（水煮）……80g
パプリカ（赤）……1/3個（40g）
そら豆（さやから出す）……50g
ブロッコリー……80g
A ┌ クリームチーズ……40g
  │ マヨネーズ……大さじ1
  └ 塩・砂糖・こしょう……各少量

### 作り方

1. キドニービーンズは水洗いして水けをきり、パプリカは横半分に切ってから1cm幅に切る。そら豆は塩ゆでして薄皮をむき、ブロッコリーは小房に分けてさっと塩ゆでする。

2. クリームチーズは常温にもどしてやわらかくし、残りのAと混ぜ合わせ、1を加えてあえる。

nutrition 〈1人分〉

| | |
|---|---|
| エネルギー | 207kcal |
| 塩分 | 0.8g |
| ビタミンE | 2.6mg |
| ビタミンC | 86mg |
| β-カロテン | 623μg |

*Vitamin salad 02*

# キャベツとスナップえんどうの
# カレードレッシングサラダ

PART1

ビタミンたっぷり　さびない体をつくるサラダ

### 材料(2人分)
キャベツ ……………………… 2枚
スナップえんどう ………… 100g
A ┌ サラダ油 ……… 大さじ1
　├ 酢 ……………… 大さじ½
　├ 塩 ……………… 小さじ¼
　├ カレー粉・こしょう … 各少量
　└ パセリ(みじん切り) …… 適量

### 作り方
1　キャベツは塩ゆでし、ざるに広げて冷まし、2cm角に切る。スナップえんどうは筋をとって塩ゆでし、斜め半分に切る。
2　Aを混ぜ合わせ、1を加えてあえる。

β-カロテン＋ビタミンCで
みずみずしい肌をキープ

nutrition
〈1人分〉
エネルギー　93kcal
塩分　0.7g
ビタミンE　1.0mg
ビタミンC　46mg
β-カロテン　243μg

17

*Vitamin salad 03*

# かぼちゃとクレソンの アーモンドサラダ

ビタミンEは"若返りの ビタミン"。かぼちゃと ナッツでたっぷり補給

### 材料 (2人分)

| | |
|---|---|
| かぼちゃ | 200g |
| クレソン | ½束 |
| スライスアーモンド | 20g |
| A [ サラダ油 | 小さじ1 |
| 　 砂糖 | 小さじ½ |
| 　 塩 | 少量 |
| B [ マヨネーズ | 大さじ1と½ |
| 　 塩・こしょう | 各少量 |

### 作り方

1 かぼちゃはくし形切りにし、ラップに包んで電子レンジで3〜4分、やわらかくなるまで加熱し、Aをからめる。

2 クレソンは食べやすくちぎり、アーモンドはフライパンできつね色になるまでからいりする。

3 Bを混ぜ合わせ、1と2を加えてあえる。

nutrition 〈1人分〉

| | |
|---|---|
| エネルギー | 234kcal |
| 塩分 | 0.9g |
| ビタミンE | 9.2mg |
| ビタミンC | 45mg |
| β-カロテン | 4204μg |

### 材料（2人分）

| | |
|---|---|
| 油揚げ | 1枚 |
| にんじん | ½本 |
| セロリ | ½本 |
| セロリの葉（せん切り） | 適量 |
| A　サラダ油 | 大さじ1 |
| 　　酢 | 大さじ⅔ |
| 　　塩 | 小さじ⅕ |
| 　　こしょう | 少量 |

### 作り方

1. にんじんはせん切りにし、ラップに包んで電子レンジで1分半〜2分加熱する。セロリは斜め薄切りにし、塩少量（分量外）をふり、しんなりしたら水洗いして水けを絞る。
2. 油揚げは熱した焼き網でこんがりと焼き、細切りにする。
3. Aを混ぜ合わせ、1、2、セロリの葉を加えてあえる。

PART1　ビタミンたっぷり　さびない体をつくるサラダ

にんじんには肌のうるおいを保つβ-カロテンが豊富

Vitamin salad 04

# 油揚げとにんじんのサラダ

nutrition 〈1人分〉

| | |
|---|---|
| エネルギー | 137kcal |
| 塩分 | 0.7g |
| ビタミンE | 1.3mg |
| ビタミンC | 4mg |
| β-カロテン | 4112µg |

Vitamin salad 05

# ルッコラとキウイのサラダ

ルッコラとキウイで
ダブルの抗酸化作用！

## 材料（2人分）

- ルッコラ……………………30g
- キウイフルーツ……………½個
- 玉ねぎ………………………30g
- A ┌ サラダ油・酢………各大さじ1
　　└ 塩・砂糖・こしょう………各少量

## 作り方

1. ルッコラは根元を切り落とし、キウイは半月切りにする。玉ねぎは薄切りにして塩少量（分量外）をふり、しんなりしたら水洗いして水けを絞る。
2. Aを混ぜ合わせ、1を加えてあえる。

### nutrition
〈1人分〉

| | |
|---|---|
| エネルギー | 78kcal |
| 塩分 | 0.4g |
| ビタミンE | 1.3mg |
| ビタミンC | 26mg |
| β-カロテン | 555μg |

PART1 ビタミンたっぷり さびない体をつくるサラダ

> アンチエイジングに有効！
> 女性にうれしい
> 栄養素がひと皿に

### 材料（2人分）
- おから　　　　　　　　30g
- ブロッコリー　　　　　150g
- じゃがいも　　　　　　小1個
- A
  - たらこ　　　　　　½腹
  - マヨネーズ　　　　大さじ2
  - プレーンヨーグルト　　大さじ1と½
  - 塩・こしょう・砂糖　各少量

### 作り方
1. たらこは薄皮をとり、残りのAと混ぜ合わせる。
2. おからは耐熱容器に入れ、ラップをかけずに電子レンジで30秒加熱する。菜箸でかき混ぜ、さらに30秒加熱し、あら熱をとる。
3. じゃがいもはひと口大に切って鍋に入れ、ひたひたの1％塩水を加えて火にかけ、やわらかくなるまでゆでる。湯を捨て、水けをとばして粉ふきいもにし、マッシャーなどでつぶす。
4. ブロッコリーは小房に分けて塩ゆでし、ざるにあげて手早く冷ます。
5. 1〜3を混ぜ合わせ、4を加えてあえる。

*Vitamin salad 06*

# おからとブロッコリーのタラモ風

### nutrition 〈1人分〉
| | |
|---|---|
| エネルギー | 189kcal |
| 塩分 | 1.4g |
| ビタミンE | 4.4mg |
| ビタミンC | 111mg |
| β-カロテン | 608μg |

Vitamin salad 07

# ほうれん草とれんこんの和風サラダ

お肌にハリを与えるビタミンC。逃がさないよう、れんこんはさっとゆでて！

### 材料(2人分)

- ほうれん草 …… 100g
- れんこん …… 100g
- A
  - マヨネーズ …… 大さじ2/3
  - しょうゆ …… 大さじ1/2
  - 白練りごま …… 小さじ1
  - 砂糖 …… 小さじ1/2
  - 塩 …… 少量
- 白いりごま …… 適量

### 作り方

1. ほうれん草は塩ゆでし、冷水にとって水けを絞り、3cm長さに切る。れんこんは薄切りにし、水にさらしてアクをぬく。熱湯でさっとゆで、水けをきる。
2. Aを混ぜ合わせ、1を加えてあえる。器に盛り、ごまをふる。

### nutrition 〈1人分〉

| | |
|---|---|
| エネルギー | 94kcal |
| 塩分 | 0.9g |
| ビタミンE | 1.7mg |
| ビタミンC | 42mg |
| β-カロテン | 2102μg |

# Vitamin salad 08
## せりとじゃがいものごまマヨネーズ

**材料（2人分）**
- せり……120g
- じゃがいも……大1個
- にんじん……30g
- A
  - マヨネーズ……大さじ1
  - ごま油……小さじ1
  - 塩……小さじ¼
  - こしょう……少量

**作り方**
1. せりは塩ゆでし、冷水にとって水を絞り、3cm長さに切る。じゃがいもは拍子木切りにし、水にさらしてアクをぬく。さっと塩ゆでして水けをきり、あら熱をとる。
2. にんじんはせん切りにし、塩少量（分量外）をふってしんなりしたら水けを絞る。
3. Aを混ぜ合わせ、1と2を加えてあえる。

**nutrition 〈1人分〉**
- エネルギー 132kcal
- 塩分 0.9g
- ビタミンE 1.1mg
- ビタミンC 39mg
- β-カロテン 2370μg

PART1　ビタミンたっぷり　さびない体をつくるサラダ

---

# Vitamin salad 09
## セロリとにんじんの甘酢漬け

**材料（2人分）**
- セロリ……1本
- にんじん……80g
- A
  - 酢……大さじ2
  - 砂糖……大さじ1
  - ナンプラー……大さじ½
  - 塩……少量

**作り方**
1. セロリは1cm幅の斜め切りにし、にんじんは拍子木切りにする。
2. Aを混ぜ合わせ、1を加えてあえ、冷蔵庫で味をなじませる。

> ビタミンたっぷりの副菜はおべんとうにもおすすめ

**nutrition 〈1人分〉**
- エネルギー 46kcal
- 塩分 0.9g
- ビタミンE 0.3mg
- ビタミンC 5mg
- β-カロテン 3302μg

*Vitamin salad 10*

# 菜の花のごま明太子マヨネーズあえ

抗酸化ビタミン豊富な菜の花。
体のさびを落としましょう

nutrition
〈1人分〉
エネルギー　103kcal
塩分　1.0g
ビタミンE　3.5mg
ビタミンC　102mg
β-カロテン　1651μg

### 材料(2人分)

菜の花……………………150g
生しいたけ………………2枚
A ┌ 明太子……………20g
　├ マヨネーズ………大さじ1
　├ 白練りごま………大さじ½
　└ 塩・こしょう……各少量

### 作り方

**1** 菜の花は塩ゆでし、冷水にとって水けを絞り、3cm長さに切る。しいたけは軸を落として薄切りにし、さっとゆでる。

**2** 明太子は細かくちぎり、残りのAと混ぜ合わせ、1を加えてあえる。

## Vitamin salad 11
# オリーブとプチトマトのマリネ

**材料（2人分）**
- オリーブ（黒） …… 30g
- プチトマト …… 10個
- A
  - にんにく（みじん切り） …… ¼片分
  - バジル（せん切り） …… 2枚分
  - オリーブオイル …… 大さじ1と½
  - 塩 …… 小さじ⅙

**作り方**
1. プチトマトはヘタをとり、十字に切り目を入れる。
2. Aを混ぜ合わせ、1とオリーブを加えてあえ、味をなじませる。

**nutrition 〈1人分〉**
- エネルギー 117kcal
- 塩分 0.7g
- ビタミンE 1.8mg
- ビタミンC 16mg
- β-カロテン 528μg

---

## Vitamin salad 12
# モロヘイヤと厚揚げの辛味あえ

**材料（2人分）**
- モロヘイヤ …… 100g
- 厚揚げ …… ¼枚
- にんじん …… 10g
- A
  - 練りがらし …… 適量
  - しょうゆ …… 大さじ½
  - ごま油 …… 小さじ½

**作り方**
1. モロヘイヤは塩ゆでし、冷水にとって水けを絞り、3cm長さに切る。厚揚げは油抜きし、短冊切りにする。
2. にんじんはせん切りにし、ラップに包んで電子レンジで10秒加熱する。
3. Aを混ぜ合わせ、1と2を加えてあえる。

**nutrition 〈1人分〉**
- エネルギー 81kcal
- 塩分 0.7g
- ビタミンE 3.5mg
- ビタミンC 33mg
- β-カロテン 5410μg

PART1　ビタミンたっぷり　さびない体をつくるサラダ

Column ❶

毎日の食事でとりたい
# 抗酸化ビタミンの話

ストレスや加齢、紫外線などによって体内に発生する活性酸素。
それを撃退し、若さを保ってくれるのが「β-カロテン」「ビタミンC」「ビタミンE」の
いわゆる抗酸化ビタミンです。これらをたっぷり含み、使いやすい食材を紹介しましょう。

## β-カロテン

抗酸化力が最も強く、調理損失が少ない脂溶性ビタミン。油と一緒にとると吸収率がよくなります。

【β-カロテンを多く含む食材】

モロヘイヤ
1食分摂取目安量 80g
β-カロテン含有量 8000μg

にんじん
1食分摂取目安量 50g
β-カロテン含有量 4100μg

ほうれん草
1食分摂取目安量 80g
β-カロテン含有量 3360μg

かぼちゃ
1食分摂取目安量 80g
β-カロテン含有量 3200μg

小松菜
1食分摂取目安量 80g
β-カロテン含有量 2480μg

＊ほかにおかひじき、つるむらさき、春菊、大根の葉など。

## ビタミンC

水溶性で加熱中や貯蔵中に壊れやすいので、新鮮なうちにシンプルな調理法でいただきましょう。

【ビタミンCを多く含む食材】

菜の花
1食分摂取目安量 80g
ビタミンC含有量 104mg

ブロッコリー
1食分摂取目安量 80g
ビタミンC含有量 96mg

パプリカ(赤)
1食分摂取目安量 40g
ビタミンC含有量 68mg

カリフラワー
1食分摂取目安量 80g
ビタミンC含有量 65mg

ゴーヤー
1食分摂取目安量 80g
ビタミンC含有量 61mg

＊ほかに芽キャベツ、いちご、オレンジ、グレープフルーツなど。

## ビタミンE

"若返りのビタミン"とも呼ばれるビタミンE。脂溶性で、炒めたり揚げたり、油と一緒にとると吸収率がよくなります。

【ビタミンEを多く含む食材】

アーモンド
1食分摂取目安量 20g
ビタミンE含有量 6.2mg

モロヘイヤ
1食分摂取目安量 80g
ビタミンE含有量 5.2mg

かぼちゃ
1食分摂取目安量 80g
ビタミンE含有量 3.9mg

ツナ油漬け(缶詰)
1食分摂取目安量 30g
ビタミンE含有量 2.5mg

たらこ
1食分摂取目安量 20g
ビタミンE含有量 1.4mg

＊ほかにうなぎのかば焼き、はまち、めかじき、イクラなど。

*Dietary fiber salad*
**PART 2**

## 食物繊維のチカラで
## おなかすっきりサラダ

腸の働きを活発にしてくれる食物繊維は
根菜やきのこ、海藻や豆類などに多く含まれます。
食物繊維には便秘の予防・解消はもちろん、
コレステロール値を下げる、食後の血糖値の上昇を
ゆるやかにし、体脂肪をつくられにくくしてくれる
効果も。特に多く含んでいる根菜や豆類を
意識して取り入れながら、体の中からデトックス！

Dietary fiber salad 01

# しめじとごぼうの イタリアンサラダ

きのこと根菜で
食物繊維をたっぷり摂取！

## 材料（2人分）

- しめじ……………………60g
- ごぼう……………………小1本
- A
  - しょうゆ・バルサミコ酢・
    オリーブオイル…各大さじ1
  - 干しぶどう………………20g
  - 砂糖………………………小さじ1

## 作り方

1. しめじは石づきを落として小房に分ける。ごぼうは皮つきのままよく洗って乱切りにし、水にさらしてアクをぬく。それぞれゆでて水けをきる。
2. Aを混ぜ合わせ、1を熱いうちに加えてあえる。器に盛り、あればチャービル（分量外）を飾る。

| nutrition〈1人分〉 | |
|---|---|
| エネルギー | 154kcal |
| 塩分 | 1.3g |
| 食物繊維 | 5.8g |

*Dietary fiber salad 02*

# 豆とサニーレタスの サラダ

豆にはおなかすっきり効果が。食べごたえがあるから満足感も大

PART2 食物繊維のチカラで おなかすっきりサラダ

## 材料(2人分)

- レンズ豆(水煮) ……………… 30g
- ひよこ豆(水煮) ……………… 40g
- サニーレタス ………………… 2枚
- A
  - サラダ油 ……………… 大さじ1
  - 酢 ……………………… 大さじ½
  - 塩 ……………………… 小さじ¼
  - こしょう ……………………… 少量
- パセリ(みじん切り) ……………… 適量

## 作り方

1. 豆はそれぞれ水洗いして水けをきる。サニーレタスは食べやすくちぎる。
2. 1を器に盛って混ぜ合わせたAをかけ、パセリを散らす。

### nutrition 〈1人分〉

| | |
|---|---|
| エネルギー | 116kcal |
| 塩分 | 0.7g |
| 食物繊維 | 3.8g |

Dietary fiber salad 03

# なすとかぼちゃの ヨーグルトドレッシング

発酵食品と組み合わせることで腸内環境がより良好に

### 材料（2人分）

- なす ……… 1本
- かぼちゃ ……… 150g
- オクラ ……… 5本
- オリーブオイル ……… 大さじ½
- A
  - プレーンヨーグルト … 大さじ3
  - オリーブオイル・酢 …… 各大さじ½
  - おろしにんにく ……… ¼片分
  - 砂糖 ……… 小さじ⅓
  - 塩 ……… 小さじ¼

### 作り方

1. なすは輪切りにし、塩少量（分量外）をふってしばらくおき、水けをふく。フライパンにオリーブオイルを熱し、なすをこんがりと焼いて取り出す。
2. かぼちゃはくし形切りにし、ラップに包んで電子レンジで3～4分加熱する。
3. オクラはヘタをとり、塩少量（分量外）をふって板ずりし、さっとゆでて斜め半分に切る。
4. 1～3を合わせて器に盛り、混ぜ合わせたAをかける。

nutrition 〈1人分〉

| | |
|---|---|
| エネルギー | 157kcal |
| 塩分 | 0.8g |
| 食物繊維 | 4.5g |

## Dietary fiber salad 04
# 切り干し大根のピリ辛サラダ

### 材料（2人分）
| | |
|---|---|
| 切り干し大根（乾燥） | 20g |
| ほうれん草 | 100g |
| A しょうゆ | 大さじ⅔ |
| 　砂糖・ごま油 | 各小さじ1 |
| 　一味唐辛子 | 少量 |

### 作り方
1 切り干し大根は熱湯に1分ほどつけてから水につけてもどし、食べやすい長さに切る。ほうれん草は塩ゆでし、冷水にとって水けを絞り、3cm長さに切る。
2 Aを混ぜ合わせ、1を加えてあえる。

**nutrition 〈1人分〉**
エネルギー　67kcal
塩分　0.9g
食物繊維　3.5g

---

### 材料（2人分）
| | |
|---|---|
| スモークサーモン | 40g |
| カリフラワー | 100g |
| 水菜 | 50g |
| くるみ | 20g |
| A サラダ油 | 大さじ1 |
| 　酢 | 大さじ⅔ |
| 　塩・こしょう | 各少量 |

### 作り方
1 サーモンと水菜は3cm長さに切り、カリフラワーは小房に分けて塩ゆでする。くるみはフライパンでからいりする。
2 1を合わせて器に盛り、混ぜ合わせたAをかける。

**nutrition 〈1人分〉**
エネルギー　176kcal
塩分　0.9g
食物繊維　3.0g

## Dietary fiber salad 05
# サーモンとカリフラワーのナッツサラダ

PART2 食物繊維のチカラで おなかすっきりサラダ

Dietary fiber salad 06

# ひじきとトマトのマリネ

ひじきは鉄やカルシウムの宝庫。普段から心がけてとりたい食材です

### 材料(2人分)

| | |
|---|---|
| 生ひじき | 150g |
| トマト | ½個 |
| モッツァレラチーズ | 50g |
| しょうゆ | 小さじ½ |

A
- にんにく(みじん切り) ½片分
- バジル(せん切り) 4枚分
- オリーブオイル 大さじ½
- 白ワイン 小さじ1
- 塩 小さじ¼
- こしょう 少量

### 作り方

1. ひじきは水洗いして水けをきり、しょうゆをふって混ぜる。トマトはひと口大に切り、チーズはひと口大にちぎる。
2. Aを混ぜ合わせ、1を加えてあえ、味がなじむまで30分おく。器に盛り、あればバジル(分量外)を飾る。

nutrition
〈1人分〉

| | |
|---|---|
| エネルギー | 114kcal |
| 塩分 | 1.6g |
| 食物繊維 | 5.3g |

### 材料(2人分)

| | |
|---|---|
| おから | 80g |
| ほうれん草 | 80g |
| にんじん | ¼本 |
| A 酢 | 大さじ½ |
| カレー粉 | 小さじ1 |
| 砂糖 | 小さじ½ |
| 塩 | 小さじ⅓ |
| マヨネーズ | 大さじ2 |

### 作り方

1. おからは耐熱容器に入れ、ラップをかけずに電子レンジで1分加熱し、菜箸でかき混ぜてさらに1分加熱する。熱いうちにAを加えて混ぜ、あら熱をとる。

2. ほうれん草は塩ゆでし、冷水にとって水けを絞り、3cm長さに切る。にんじんはピーラーでリボン状に削り、ラップに包んで電子レンジで1分半加熱する。

3. 1に2とマヨネーズを加えて混ぜる。

PART2 食物繊維のチカラで おなかすっきりサラダ

食物繊維の含有量が抜群のおから。女性にうれしい栄養素もたくさん！

*Dietary fiber salad 07*

# おからの
# カレー風味サラダ

### nutrition 〈1人分〉

| | |
|---|---|
| エネルギー | 150kcal |
| 塩分 | 1.3g |
| 食物繊維 | 6.7g |

Dietary fiber salad 08

# わかめとサンチュの
# キムチドレッシング

海藻＋キムチの発酵パワーで
腸美人を目指しましょう！

## 材料（2人分）

- わかめ……………もどして30g
- サンチュ……………………100g
- トマト………………………1個
- A
  - 白菜キムチ………………50g
  - ごま油・サラダ油……各大さじ½
  - 酢………………………小さじ1
  - しょうゆ………………小さじ½

## 作り方

1. わかめはひと口大に切り、サンチュは食べやすくちぎる。トマトはくし形切りにする。
2. キムチは1cm長さに切り、残りのAと混ぜ合わせる。
3. 1を合わせて器に盛り、2をかける。

### nutrition
〈1人分〉

| | |
|---|---|
| エネルギー | 92kcal |
| 塩分 | 1.0g |
| 食物繊維 | 2.8g |

## Dietary fiber salad 09
# にんじんのたらこ炒め

### 材料（2人分）
にんじん …………… 小1本
たらこ ……………… 30g
ブロッコリー ……… 50g
サラダ油・酒 …… 各大さじ½
しょうゆ ………… 小さじ½

### 作り方
1 にんじんは細長い乱切りにし、たらこは薄皮をとって粗くほぐす。ブロッコリーは小房に分けて塩ゆでする。

2 フライパンにサラダ油を熱し、にんじんを炒める。しんなりしたら酒を加えてさらに炒め、たらこを加える。

3 たらこに火が通ったらブロッコリーを加えてひと混ぜし、しょうゆをまわし入れてさっと炒める。

nutrition 〈1人分〉
エネルギー 90kcal
塩分 1.0g
食物繊維 3.0g

---

## Dietary fiber salad 10
# 納豆なめこおろし

### 材料（2人分）
ひき割り納豆 ……… 1パック
なめこ ……………… 1袋（100g）
大根 ………………… 150g
長ねぎ（小口切り）…… 10g
しょうゆ …………… 小さじ1と⅔
焼きのり …………… 全形¼枚

### 作り方
1 なめこはゆでて水けをきり、しょうゆ小さじ⅔をまぶす。大根はすりおろして水けをきる。

2 1、納豆、長ねぎを合わせ、残りのしょうゆを加えて混ぜ、器に盛ってちぎったのりを散らす。

nutrition 〈1人分〉
エネルギー 75kcal
塩分 0.7g
食物繊維 4.0g

PART2 食物繊維のチカラで おなかすっきりサラダ

### 材料（2人分）

| | |
|---|---|
| カリフラワー | 100g |
| ほうれん草 | 100g |
| 生ハム（薄切り） | 30g |
| A ┌ サラダ油・酢 | 各大さじ1 |
| ├ 塩 | 小さじ¼ |
| └ こしょう | 少量 |

### 作り方

1 カリフラワーは小房に分けて塩ゆでする。ほうれん草は塩ゆでし、冷水にとって水けを絞り、3cm長さに切る。生ハムはひと口大に切る。

2 1を合わせて器に盛り、混ぜ合わせたAをかける。

美白、美肌、老化防止…
食べるほどに
きれいに効くサラダ

*Dietary fiber salad* 11

# カリフラワーと
# ほうれん草のサラダ

nutrition
〈1人分〉
エネルギー　118kcal
塩分　1.1g
食物繊維　2.9g

Dietary fiber salad 12

# ブロッコリーと豆の マリネサラダ

食物繊維たっぷりの組み合わせ。便秘の予防・改善に働きます

## 材料（2人分）

| | |
|---|---|
| ブロッコリー | 80g |
| 大豆（水煮） | 50g |
| キドニービーンズ（水煮） | 50g |
| 玉ねぎ（みじん切り） | 20g |
| A オリーブオイル | 大さじ1 |
| 　酢 | 大さじ2/3 |
| 　白ワイン | 大さじ1/2 |
| 　塩 | 小さじ1/4 |
| 　こしょう | 少量 |

## 作り方

1 ブロッコリーは小房に分けて塩ゆでする。豆はそれぞれ水洗いして水けをきる。

2 玉ねぎは塩少量（分量外）をふり、しんなりしたら水にさらして水けを絞る。

3 Aを混ぜ合わせ、1と2を加えてあえ、味をなじませる。

PART2 食物繊維のチカラで おなかすっきりサラダ

nutrition
〈1人分〉
エネルギー　147kcal
塩分　0.9g
食物繊維　6.9g

Column ❷

## 目指せ、腸美人!
# 食物繊維の話

根菜などの野菜やくだもの、豆、海藻、きのこ、いも類に多く含まれている食物繊維。
ダイエット効果、コレステロールを下げる、便秘の予防・解消、消化器系がんの予防など
さまざまに働きます。毎日ムリなく、たっぷりとれるよう、使いやすい食材を集めました。

### 野菜

**モロヘイヤ**
1食分摂取目安量 80g
食物繊維含有量 4.7g

**グリーンピース**
1食分摂取目安量 50g
食物繊維含有量 3.9g

**ブロッコリー**
1食分摂取目安量 80g
食物繊維含有量 3.5g

**菜の花**
1食分摂取目安量 80g
食物繊維含有量 3.4g

**枝豆**
1食分摂取目安量 50g
食物繊維含有量 2.5g

＊ほかにごぼう、アボカド、ゆでたけのこ、大根の葉、なすなど。

### 豆・豆製品

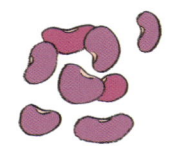

**キドニービーンズ（水煮）**
1食分摂取目安量 50g
食物繊維含有量 6.7g

**ひよこ豆（水煮）**
1食分摂取目安量 50g
食物繊維含有量 5.8g

**おから**
1食分摂取目安量 30g
食物繊維含有量 3.5g

**納豆**
1食分摂取目安量 50g
食物繊維含有量 3.4g

**大豆（水煮）**
1食分摂取目安量 50g
食物繊維含有量 3.4g

＊ほかに花豆、いんげん豆、ゆであずき、きなこなど。

### 海藻・きのこ

**ひじき（乾燥）**
1食分摂取目安量 10g
食物繊維含有量 4.3g

**エリンギ**
1食分摂取目安量 50g
食物繊維含有量 2.2g

**干ししいたけ**
1食分摂取目安量 5g
食物繊維含有量 2.1g

**えのきたけ**
1食分摂取目安量 50g
食物繊維含有量 2.0g

**しめじ**
1食分摂取目安量 50g
食物繊維含有量 1.9g

＊ほかに茎わかめ、きくらげ、わかめ、まいたけなど。

### いも・穀類など

**ライ麦パン**
1食分摂取目安量 60g
食物繊維含有量 3.4g

**玄米ごはん**
1食分摂取目安量 150g
食物繊維含有量 2.1g

**切り干し大根**
1食分摂取目安量 10g
食物繊維含有量 2.1g

**さつまいも**
1食分摂取目安量 80g
食物繊維含有量 1.8g

**里いも**
1食分摂取目安量 80g
食物繊維含有量 1.8g

＊ほかにこんにゃく、しらたき、じゃがいも、やまといもなど。

*Hot salad*

## PART3

# 野菜をたっぷり食べられる
# ホットサラダ

野菜はゆでたり炒めたり、煮込んだりすると
かさが減るので、生のままよりもたくさんの量が
食べられます。野菜本来の甘みやうまみが
引き出され、フレッシュサラダとはひと味違う
おいしさが生まれるのもうれしいポイント！
冷えが気になる季節にもおすすめです。
ホットサラダで野菜不足を一気に解消しましょう。

*Hot salad 01*

# 温野菜のごまソースかけ

根菜はゆでて甘みを引き出します。ごまには強い抗酸化作用が

### 材料（2人分）

| | |
|---|---|
| かぶ（葉つき） | 小2個 |
| れんこん | 50g |
| ごぼう | ½本 |
| A　カッテージチーズ | 50g |
| 　　マヨネーズ | 大さじ1と½ |
| 　　白練りごま・しょうゆ | 各大さじ½ |
| 　　塩・こしょう | 各少量 |

### 作り方

1. かぶは葉柄を3cmほど残して葉を切り落とし、皮をむいて縦半分に切る。熱湯でやわらかくゆで、水けをきる。かぶの葉は塩ゆでし、冷水にとって水けを絞り、3cm長さに切る。
2. れんこんは5mm厚さの輪切りに、ごぼうは8cm長さに切って縦半分に切る。それぞれ熱湯でゆで、水けをきる。
3. 1と2を器に盛り、混ぜ合わせたAをかける。

nutrition
〈1人分〉
エネルギー　176kcal
塩分　1.4g

Hot salad 02

# いかとエリンギのアンチョビ炒め

にんにくとアンチョビを
ガツンと効かせた炒めサラダ

PART3 野菜をたっぷり食べられる ホットサラダ

## 材料(2人分)

するめいか……………………½ぱい
エリンギ………………………100g
アンチョビ(フィレ)……………2枚
ほうれん草……………………150g
にんにく(みじん切り)………¼片分
オリーブオイル………………大さじ1
塩………………………………小さじ⅙
こしょう………………………少量

## 作り方

1. いかは内臓を除き、胴は輪切りに、足は吸盤をとって切り分ける。

2. エリンギは手で裂き、アンチョビは細かくちぎる。ほうれん草は塩ゆでし、冷水にとって水けを絞り、3cm長さに切る。

3. フライパンにオリーブオイルとにんにくを弱火で熱し、香りが立ったら火を強め、1を炒める。色が変わってきたらエリンギとアンチョビを加え、さらに炒める。

4. 油がまわったらほうれん草を加えてさっと炒め、塩、こしょうで味をととのえる。

nutrition
〈1人分〉
エネルギー　146kcal
塩分　1.5g

Hot salad 03

# ブロッコリーとあさりのくず煮

あさりのうまみで
ブロッコリーがたくさん
食べられます

## 材料（2人分）

| | |
|---|---|
| ブロッコリー | 150g |
| あさり（砂ぬきする） | 殻つきで200g |
| 酒 | 大さじ1 |
| A　水 | ¾カップ |
| 　　しょうゆ | 小さじ½ |
| 　　砂糖 | 小さじ⅓ |
| 　　塩 | 少量 |
| 水溶き片栗粉 | |
| 　　片栗粉 | 小さじ1 |
| 　　水 | 小さじ2 |

## 作り方

1 ブロッコリーは小房に分けてかために塩ゆでする。あさりは殻をこすり合わせて洗う。

2 鍋にあさりと酒を入れて火にかけ、口が開いたら取り出す（蒸し汁は鍋に残す）。

3 2の鍋にAを加えて火にかけ、煮立ったらブロッコリーを加えてさっと煮る。

4 水溶き片栗粉をまわし入れてとろみをつけ、あさりを戻し入れてひと混ぜする。

nutrition
〈1人分〉
エネルギー　53kcal
塩分　1.4g

Hot salad 04

# ザーサイとアスパラの炒めもの

ザーサイの塩けとうまみを
調味料がわりに使います

PART3 野菜をたっぷり食べられる ホットサラダ

### 材料（2人分）

| | |
|---|---|
| ザーサイ（漬けもの） | 40g |
| グリーンアスパラ | 150g |
| サラダ油 | 大さじ½ |
| 酒 | 大さじ⅔ |
| 塩 | 少量 |
| 白いりごま | 小さじ1 |

### 作り方

1. ザーサイは短冊切りにする。アスパラは根元のかたい部分を切り落とし、はかまをとって乱切りにする。
2. フライパンにサラダ油を熱し、アスパラを炒め、表面が透き通ってきたらザーサイと酒を加えて炒める。
3. 油がまわったら塩で味をととのえ、器に盛ってごまを散らす。

nutrition
〈1人分〉

| | |
|---|---|
| エネルギー | 63kcal |
| 塩分 | 1.9g |

*Hot salad 05*

# プチトマトと
# れんこんのソテー

> シャキシャキ食感の
> れんこんソテーで
> 免疫力をアップ！

## 材料（2人分）

| | |
|---|---|
| プチトマト | 10個 |
| れんこん | 80g |
| パセリ | 10g |
| サラダ油 | 大さじ½ |
| 塩 | 小さじ⅙ |
| こしょう | 少量 |

## 作り方

1. プチトマトはヘタをとる。れんこんは3mm厚さの輪切りにする。パセリは食べやすくちぎる。
2. フライパンにサラダ油を熱し、れんこんを炒める。表面が透き通ってきたら、プチトマトとパセリを加え、塩、こしょうで味をととのえる。

nutrition
〈1人分〉
エネルギー　71kcal
塩分　0.6g

### Hot salad 06
# ゴーヤーのにんにく豆板醤炒め

**材料（2人分）**

- ゴーヤー……………½本
- エリンギ……………1本
- にんにく（みじん切り）
  ……………¼片分
- サラダ油……………大さじ1
- A
  - 酒・しょうゆ
    ……………各小さじ1
  - 豆板醤・砂糖
    ……………各小さじ½

**作り方**

1. ゴーヤーは縦半分に切り、種とワタをとって5mm幅に切る。エリンギは斜め薄切りにする。
2. フライパンにサラダ油とにんにくを弱火で熱し、香りが立ったら火を強め、ゴーヤーを炒める。油がまわったらエリンギを加える。
3. 合わせたAを加え、汁けをとばしながら炒める。

**nutrition〈1人分〉**
エネルギー　81kcal
塩分　0.7g

---

### Hot salad 07
# にんじんとにんにくの芽のピリ辛炒め

**材料（2人分）**

- にんじん……………½本
- にんにくの芽……………80g
- サラダ油……………大さじ⅔
- A
  - 酒・しょうゆ
    ……………各大さじ1
  - 豆板醤……………小さじ½

**作り方**

1. にんじんは3cm長さの拍子木切りにし、にんにくの芽は3cm長さに切る。
2. フライパンにサラダ油を熱し、にんじんを炒める。表面が透き通ってきたら、にんにくの芽を加える。
3. 油がまわったら、合わせたAをまわし入れ、味をからめながら炒める。

**nutrition〈1人分〉**
エネルギー　89kcal
塩分　1.6g

PART3　野菜をたっぷり食べられる　ホットサラダ

## Hot salad 08
# ひよこ豆とピーマンの
# カレー炒め

### 材料（2人分）
ひよこ豆（水煮） ……… 100g
ピーマン（緑・赤） …… 各1個
玉ねぎ ………………… 小½個
サラダ油 ……………… 大さじ1
A ┌ しょうゆ ………… 大さじ⅔
　├ カレー粉 ………… 小さじ½
　└ こしょう ………… 少量

### 作り方
1 ピーマンはそれぞれ1cm幅に切り、玉ねぎは薄切りにする。
2 フライパンにサラダ油を熱し、玉ねぎを炒める。しんなりしたら、ひよこ豆、ピーマン、赤ピーマンの順に加えて炒める。
3 油がまわったらAを加え、味をからめながら炒める。

**nutrition 〈1人分〉**
エネルギー　169kcal
塩分　　　　0.9g

## Hot salad 09
# オリーブとパプリカのソテー

### 材料（2人分）
オリーブ（黒） ………… 30g
パプリカ（黄） ………… 1個
ルッコラ ………………… 30g
にんにく（みじん切り）
　……………………… ¼片分
オリーブオイル ……… 大さじ½
塩 …………………… 小さじ⅙
こしょう ……………… 少量

### 作り方
1 パプリカは横半分に切って乱切りにし、ルッコラは根元を切り落とす。
2 フライパンにオリーブオイルとにんにくを弱火で熱し、香りが立ったら火を強め、パプリカ、オリーブの順に加えて炒める。
3 油がまわったら塩、こしょうで味をととのえ、ルッコラを加えてひと混ぜする。

**nutrition 〈1人分〉**
エネルギー　70kcal
塩分　　　　1.1g

Hot salad 10

# ベーコン入り
# ジャーマンポテト

じっくり焼いた
香ばしいじゃがいもは
栄養の宝庫！

PART3 野菜をたっぷり食べられる ホットサラダ

### 材料（2人分）

じゃがいも……………200g
A ┌ オリーブオイル……大さじ½
  │ 塩……………………小さじ⅕
  └ こしょう…………………少量
玉ねぎ………………………½個
ベーコン（薄切り）…………2枚
オリーブオイル………大さじ⅔
塩・こしょう………………各少量
パセリ（みじん切り）………適量

### 作り方

1 じゃがいもは皮つきのままよく洗って1㎝厚さのいちょう切りにする。

2 天板にオーブンシートを敷いて1を並べ、Aをふる。200℃に熱したオーブンで30〜40分焼く。

3 玉ねぎは薄切りにし、ベーコンは短冊切りにする。フライパンを熱し、ベーコンをカリカリに炒めて取り出す。

4 3のフライパンにオリーブオイルを熱し、玉ねぎをきつね色になるまで炒める。2とベーコンを加え、塩、こしょうで味をととのえる。器に盛り、パセリをふる。

nutrition
〈1人分〉
エネルギー　241kcal
塩分　　　　1.3g

## 材料（2人分）

| | |
|---|---|
| なす | 1本 |
| パプリカ（黄） | ½個 |
| ズッキーニ | ½本 |
| 鶏むね肉（皮なし） | 80g |
| 塩・こしょう | 各少量 |
| にんにく（みじん切り） | ½片分 |
| オリーブオイル | 大さじ1と½ |
| 玉ねぎ（みじん切り） | 30g |
| A │ トマトの水煮（缶詰） | 200g |
| A │ 顆粒ブイヨン | 小さじ½ |
| A │ ローリエ | ½枚 |
| A │ 塩・砂糖 | 各少量 |

## 作り方

1 なすとズッキーニは5mm厚さの輪切りにし、塩少量（分量外）をふってしばらくおき、水けをふく。パプリカは縦1.5cm幅に切って長さを半分に切る。

2 鶏肉はそぎ切りにし、塩、こしょうをふる。鍋にオリーブオイルとにんにくを弱火で熱し、香りが立ったら火を強め、鶏肉を炒める。色が変わったら玉ねぎを加え、しんなりしたら1を順に加えて炒める。

3 油がまわったらAを加え、煮立ったら火を弱めて汁けが少なくなるまで煮る。

Hot salad 11

# なすとパプリカのラタトゥイユ

食欲が落ちる暑い季節は夏野菜の煮込みで栄養補給

nutrition
〈1人分〉
エネルギー　182kcal
塩分　1.3g

Hot salad 12

# かぼちゃとほたてのチーズグラタン

白みそが隠し味の和風グラタン。ほくほくかぼちゃがおいしい！

### 材料（2人分）

| | |
|---|---|
| かぼちゃ | 150g |
| ほたて貝柱（生） | 150g |
| 塩・こしょう | 各少量 |
| 長ねぎ | 40g |
| A 溶き卵 | 2個分 |
| 　牛乳 | ⅔カップ |
| 　白みそ | 大さじ1 |
| 　塩 | 小さじ⅙ |
| ピザ用チーズ | 30g |

### 作り方

1. かぼちゃはくし形切りにし、ラップに包んで電子レンジで3分加熱し、中まで火を通す。
2. ほたてはひと口大に切り、塩、こしょうをふる。長ねぎは1.5cm長さに切る。
3. ボウルにAを合わせてよく混ぜる。
4. 耐熱容器に1と2を彩りよく盛り、3を注ぎ入れ、チーズを散らす。200℃に熱したオーブンで10～15分、卵液がかたまり、表面が色づくまで焼く。

PART3 野菜をたっぷり食べられる ホットサラダ

nutrition 〈1人分〉
エネルギー 348kcal
塩分 2.1g

Hot salad 13

# チンゲン菜とセロリの
# オイスターソースあえ

### 材料（2人分）

チンゲン菜 …………………… 150g
セロリ ………………………… 50g
オイスターソース ………… 大さじ2/3

### 作り方

**1** チンゲン菜は3cm長さに切り、根元は6～8つ割りにする。セロリは5mm幅の斜め切りにする。

**2** 沸騰した湯に塩・サラダ油各少量（分量外）を加え、**1**をゆでる。水けをきり、オイスターソースを加えてあえる。

> ゆでてあえるだけの
> シンプルさ。かさが減るから
> たくさん食べられます

nutrition
〈1人分〉
| エネルギー | 36kcal |
| 塩分 | 1.0g |

## Hot salad 14
# モロヘイヤと油揚げの煮浸し

### 材料(2人分)
- モロヘイヤ………100g
- 油揚げ………1枚
- きくらげ(乾燥)………適量
- A
  - 水………⅔カップ
  - しょうゆ………大さじ½
  - 顆粒ブイヨン………小さじ½

### 作り方
1. モロヘイヤは塩ゆでし、冷水にとって水けを絞り、3cm長さに切る。油揚げは油抜きし、大きめの短冊切りにする。きくらげは水につけてもどし、石づきを落とす。
2. 鍋にAを煮立て、1を加えてさっと煮る。

健康野菜・モロヘイヤには抗酸化作用アリ！

**nutrition 〈1人分〉**
- エネルギー 84kcal
- 塩分 1.0g

PART3 野菜をたっぷり食べられる ホットサラダ

## Hot salad 15
# ブロッコリーとじゃがいものミルク煮

### 材料(2人分)
- ブロッコリー………100g
- じゃがいも………小2個
- A
  - 牛乳………1カップ
  - 顆粒ブイヨン………小さじ⅔
  - 塩………小さじ⅙
  - ローリエ………½枚

### 作り方
1. ブロッコリーは小房に分けて塩ゆでする。
2. じゃがいもはひと口大に切り、水にさらしてアクをぬく。
3. 鍋に2とひたひたの水を加えて火にかける。じゃがいもの表面が透き通ってきたらゆで汁を捨て、Aを加えて再び煮る。
4. 煮立ったら弱火にし、じゃがいもがやわらかくなったら1を加え、強火にして汁けをとばす。

**nutrition 〈1人分〉**
- エネルギー 150kcal
- 塩分 1.1g

*mini salad*

野菜ひとつで

# ミニサラダ

食卓やおべんとうに野菜が足りない、と感じたとき大活躍してくれる小さなサラダを集めました。
ひとつの野菜で手軽にでき、食事の栄養バランスを整えてくれる心強いメニューばかりです。

*carrot*

## 《 にんじんのコーンクリーム煮 》

**材料（2人分）**

にんじん……………………………1本
A ┌ 砂糖・顆粒ブイヨン … 各小さじ½
　└ 塩・こしょう………………各少量
B ┌ 牛乳………………………½カップ
　└ クリームコーン（缶詰）………70g
パセリ（みじん切り）……………適量

**作り方**

1 にんじんは縦半分に切って7㎜厚さの斜め切りにする。ひたひたの水とAとともに鍋に入れ、火にかける。

2 にんじんがやわらかくなったらBを加え、味がなじむまで煮る。器に盛り、パセリを散らす。

*nutrition*
〈1人分〉
エネルギー　107kcal
塩分　　　　0.9g

topics 野菜ひとつで ミニサラダ

## 《 ターサイのスープ浸し 》

### 材料（2人分）
ターサイ……………………200g
A ┌ 水……………………½カップ強
  │ 顆粒ブイヨン・しょうゆ…各小さじ½
  └ 塩・こしょう………………各少量

### 作り方
1 ターサイは4cm長さに切り、根元は6つ割りにする。
2 鍋にAを煮立て、1を根元から加え、しんなりしたら葉も加えてさっと煮る。

nutrition 〈1人分〉
エネルギー　16kcal
塩分　0.9g

tatsoi

## 《 そら豆の甘煮 》

### 材料（2人分）
そら豆（さやから出す）……………150g
A ┌ 水……………………1カップ
  │ 黒砂糖…………………大さじ3
  │ 酒………………………大さじ1
  └ 塩………………………小さじ⅖

### 作り方
1 そら豆は切り込みを入れてかために塩ゆでし、水けをきる。
2 鍋にAを煮立て、1を加えて2～3分煮て火を止める。そのまま冷ましながら味をなじませる。

broad bean

nutrition 〈1人分〉
エネルギー　73kcal
塩分　0.6g

*mini salad*

## 《 オクラのごまあえ 》

### 材料（2人分）
オクラ……………………………………10本
A ┌ だし汁……………………………大さじ1
　├ 白練りごま………………………大さじ½
　└ 砂糖・しょうゆ…………………各大さじ½

### 作り方
1　オクラはヘタをとり、塩少量（分量外）をふって板ずりし、さっとゆでて長さを半分に切る。
2　練りごまはよくすり混ぜて香りを立て、残りのAと混ぜ合わせ、1を加えてあえる。

nutrition 〈1人分〉
エネルギー　45kcal
塩分　　　　0.7g

## 《 ルッコラのアンチョビ炒め 》

### 材料（2人分）
ルッコラ…………………………………60g
アンチョビ（フィレ）…………………2枚
にんにく（みじん切り）………………½片分
オリーブオイル…………………………小さじ2
こしょう…………………………………少量

### 作り方
1　ルッコラは根元を切り落とし、長さを半分に切る。アンチョビはちぎる。
2　フライパンにオリーブオイルとにんにくを弱火で熱し、香りが立ったら火を強め、1を炒める。油がまわったらこしょうで味をととのえる。

nutrition 〈1人分〉
エネルギー　51kcal
塩分　　　　0.5g

topics 野菜ひとつで ミニサラダ

## 《 グリーンアスパラのチーズ炒め 》

**材料（2人分）**

| | |
|---|---|
| グリーンアスパラ | 100g |
| ピザ用チーズ | 20g |
| にんにく（みじん切り） | ¼片分 |
| サラダ油 | 大さじ½ |
| A　牛乳 | ¼カップ |
| 　　塩・こしょう | 各少量 |

**作り方**

1　アスパラは根元のかたい部分を切り落とし、はかまをとって乱切りにする。

2　フライパンにサラダ油とにんにくを弱火で熱し、香りが立ったら火を強め、1を炒める。油がまわったらチーズ、Aを加え、チーズが溶けたら器に盛る。

nutrition 〈1人分〉
エネルギー　98kcal
塩分　0.5g

## 《 ブロッコリーのしょうが風味あえ 》

**材料（2人分）**

| | |
|---|---|
| ブロッコリー | 150g |
| しょうが（せん切り） | ¼かけ分 |
| 塩昆布 | 大さじ1 |
| レモン汁 | 小さじ1 |
| 塩 | 少量 |

**作り方**

1　ブロッコリーは小房に分けて塩ゆでする。

2　1と残りの材料を混ぜ合わせる。

nutrition 〈1人分〉
エネルギー　29kcal
塩分　0.9g

*mini salad*

## 《 かぶの葉とじゃこのごま炒め 》

*turnip greens*

### 材料（2人分）
| | |
|---|---|
| かぶの葉 | 150g |
| ちりめんじゃこ | 大さじ2 |
| 白いりごま | 小さじ1 |
| サラダ油 | 小さじ2 |
| A[ しょうゆ・みりん | 各小さじ2 |

### 作り方
1 かぶの葉はかために塩ゆでし、冷水にとって水けを絞り、小口切りにする。
2 フライパンにサラダ油を熱し、1とじゃこ、ごまを炒める。油がまわったらAを加え、味をからめながら炒める。

nutrition 〈1人分〉
エネルギー　85kcal
塩分　1.1g

## 《 かぼちゃのはちみつレモンあえ 》

*pumpkin*

### 材料（2人分）
| | |
|---|---|
| かぼちゃ | 200g |
| はちみつ | 小さじ2 |
| レモン | 1/4個 |

### 作り方
1 かぼちゃは1.5cm厚さのくし形切りにし、ラップに包んで電子レンジで3〜4分、やわらかくなるまで加熱する。
2 レモンは半月切りにし、はちみつとともに1に加えて混ぜ合わせる。

nutrition 〈1人分〉
エネルギー　118kcal
塩分　0g

topics 野菜ひとつで ミニサラダ

## 《 芽キャベツのカレーマヨあえ 》

*brussels sprouts*

### 材料（2人分）
芽キャベツ……………………………8個
A ┃ マヨネーズ………………………大さじ1
　 ┃ カレー粉・塩……………………各少量

### 作り方
1. 芽キャベツは根元に十字の切り目を入れ、塩ゆでして水けをきり、縦半分に切る。
2. Aを混ぜ合わせ、1を加えてあえる。

**nutrition 〈1人分〉**
エネルギー　71kcal
塩分　　　　0.5g

## 《 チンゲン菜のにんにく炒め 》

*bok choy*

### 材料（2人分）
チンゲン菜……………………………2株
にんにく（みじん切り）……………½片分
サラダ油………………………………大さじ1
塩………………………………………小さじ⅕
こしょう………………………………少量

### 作り方
1. チンゲン菜は3cm長さに切り、根元は6～8つ割りにする。
2. フライパンにサラダ油とにんにくを弱火で熱し、香りが立ったら火を強め、1を根元、葉の順に加えて炒める。塩、こしょうで味をととのえる。

**nutrition 〈1人分〉**
エネルギー　66kcal
塩分　　　　0.7g

Column ❸

きれいと健康に有効
# 機能性成分の話

食品にはビタミンやミネラルといった栄養素のほかにも、香りや色素成分など、
体内で有効な働きをしてくれる成分があります。これが「機能性成分」。抗酸化作用を発揮してくれたり、
女性ホルモンに似た働きをしてくれたり、健康に役立つ成分として注目を集めています。

## 香味・辛味成分

にんにくやねぎなど、香りの強い食材に含まれる匂いの成分をアリシンといいます。アリシンは血液中の脂肪燃焼を促し、コレステロール値を下げる働きをしてくれます。血栓の予防や改善に効果があり、また、殺菌や風邪予防、疲労回復などの効果も認められています。

**香味・辛味成分を含む食材**
にんにく・長ねぎ・万能ねぎ・にんにくの芽・にら・しょうが・ごま・ごま油・練りごまなど。

## ポリフェノール

ポリフェノールは、植物が紫外線から身を守るために持っている色素成分や苦味成分。私たちの体の中でも活性酸素の除去など有効な働きをしてくれ、がんや生活習慣病の予防に効果があるとされています。代表的なものに、緑茶に含まれるカテキン、ブルーベリーやなすなどに含まれるアントシアニン、そばやぶどうに含まれるフラボノイドなどがあります。

**ポリフェノールを含む食材**
赤ワイン・緑茶・ブルーベリー・ラズベリー・そば・うこん・黒米・なす・にんじん・ブロッコリーなど。

## イソフラボン

イソフラボンは大豆に含まれるポリフェノールの仲間。「植物由来のエストロゲン」といわれ、体内で女性ホルモンに似た働きをします。特に、女性ホルモンの分泌が急激に減る更年期のさまざまな症状を緩和してくれる、女性にはうれしい成分です。大豆のへそと呼ばれる黒い部分に多いので、豆を丸ごと食べるのが効果的ですが、納豆や豆腐、そのほかの大豆加工品も心がけてとるようにしましょう。

**イソフラボンを含む食材**
大豆・納豆・豆腐・厚揚げ・油揚げ・おから・湯葉・がんもどき・凍り豆腐・きな粉など。

*Stock salad*

## PART4

# 忙しい日にお役立ち
# 作りおきサラダ

仕事で遅くなった日や、ひとりの日の晩ごはん。
冷蔵庫に「そうだ、ストックがある」と思えると
ホッとします。そのまま食卓に出すのはもちろん、
ひと手間加えれば、別のメニューに早がわり！
この章ではそんなストック＆アレンジサラダをご紹介。
もちろん、どれもビタミンや食物繊維、鉄分など
"美に効く"栄養素がたっぷりです。

STOCK SALAD

# ごぼうときのこの炒め煮

しっかり味の常備菜。野菜と合わせれば、ボリューム満点なのにヘルシーなサラダやマリネにアレンジできます。

食物繊維が豊富。
デトックスしたいときに

### 作りやすい分量（2人×3回分）

| | |
|---|---|
| ごぼう | 大1本 |
| 生しいたけ | 6枚 |
| えのきたけ | 80g |
| サラダ油 | 大さじ1と½ |
| A［しょうゆ・みりん | 各大さじ2と½］ |

### 作り方

1. ごぼうは皮つきのままよく洗って細長い乱切りにし、水にさらしてアクをぬく。
2. しいたけは石づきを落とし、4等分に切る。えのきは根元を落としてほぐす。
3. 鍋にサラダ油を熱し、1、2を順に加えて炒める。ごぼうがしんなりしたらAを加え、汁けをとばしながら炒める。

nutrition
〈1人分〉
エネルギー　91kcal
塩分　1.1g

## ARRANGE 1
# ごぼうのエスニックサラダ

春雨でボリュームアップしても低カロリー！

### 材料（2人分）

| | |
|---|---|
| ごぼうときのこの炒め煮 | 1/3量 |
| 紫玉ねぎ | 30g |
| 春雨（乾燥） | 20g |
| サンチュ | 4枚 |

A
- 酢……大さじ1/2
- ナンプラー……小さじ1
- ごま油……小さじ1/2

### 作り方

1. 紫玉ねぎは薄切りにし、サンチュは食べやすくちぎる。春雨はゆでて水けをきり、食べやすい長さに切る。
2. Aを混ぜ合わせ、1とごぼうときのこの炒め煮を加えてあえる。

〈1人分〉エネルギー147kcal　塩分1.6g

## ARRANGE 2
# ごぼうのマリネ

トマトと玉ねぎを加えて彩り鮮やか、栄養価も◎

### 材料（2人分）

| | |
|---|---|
| ごぼうときのこの炒め煮 | 1/3量 |
| トマト | 1/2個 |
| 玉ねぎ | 1/4個 |

A
- 酢……大さじ1
- サラダ油……小さじ2
- しょうゆ・酒……各小さじ1

### 作り方

1. トマトはひと口大に切る。玉ねぎは薄切りにし、塩少量（分量外）をふってしんなりしたら水洗いして水けを絞る。
2. Aを混ぜ合わせ、1とごぼうときのこの炒め煮を加えてあえ、味をなじませる。器に盛り、あればディル（分量外）を飾る。

〈1人分〉エネルギー151kcal　塩分1.5g

PART4　忙しい日にお役立ち　作りおきサラダ

STOCK SALAD

# パプリカとツナのマリネ

栄養満点で、パプリカの色みも鮮やか。
豆と合わせてサラダにしたり、炒めものにも使える便利な一品。

抗酸化力に
血液さらさら効果も
期待できます

### 作りやすい分量（2人×3回分）

パプリカ（赤・黄）………… 各2個
ツナ缶………………… 大1缶（135g）
A ┌ 玉ねぎ（みじん切り）……… 1/4個分
　├ にんにく（みじん切り）…… 1片分
　├ 白ワイン・オリーブオイル
　│　　　　　　　　　……… 各大さじ3
　├ 塩 ………………………… 小さじ2/3
　└ こしょう ………………………… 少量

### 作り方

1 玉ねぎは塩少量（分量外）をふり、しんなりしたら水洗いして水けを絞り、残りのAと混ぜ合わせる。

2 パプリカは縦半分に切って2cm幅に切る。熱した焼き網で焼き色がつくまで焼き、熱いうちに1につけ、缶汁をきったツナを加えてあえ、味をなじませる。

nutrition
〈1人分〉

エネルギー　153kcal
塩分　　　　0.9g

PART4 忙しい日にお役立ち 作りおきサラダ

## ARRANGE 1
## パプリカとツナ、豆のサラダ

3種の豆で食べごたえ充分！
栄養バランスも良好に

### 材料（2人分）
**パプリカとツナのマリネ**
　　　　　　　　　⅓量
大豆（水煮）……… 50g
ひよこ豆（水煮）…… 30g
キドニービーンズ（水煮）
　　　　　　　　　30g

A ┌ オリーブオイル・酢
　│ 　　　　　各大さじ½
　│ 塩 ……… 小さじ⅕
　└ こしょう ……… 少量
サニーレタス ……… 2枚

### 作り方
1 豆はそれぞれ水洗いして水けをきる。マリネのパプリカはひと口大に切る。
2 Aを混ぜ合わせ、1の豆とパプリカとツナのマリネ、食べやすくちぎったサニーレタスを加えてあえる。

〈1人分〉エネルギー267kcal　塩分1.6g

## ARRANGE 2
## パプリカとツナ、アスパラの炒めもの

野菜をひとつプラスして
さっと作れる手軽な一品

### 材料（2人分）
**パプリカとツナのマリネ**
　　　　　　　　　⅓量
グリーンアスパラ
　　　　　　3本（50g）

オリーブオイル … 小さじ1
塩・こしょう ……… 各少量

### 作り方
1 アスパラは根元のかたい部分を切り落とし、はかまをとって乱切りにする。マリネのパプリカはひと口大に切る。
2 フライパンにオリーブオイルを熱し、アスパラを炒める。油がまわったらパプリカとツナのマリネを加えて混ぜ、塩、こしょうで味をととのえる。

〈1人分〉エネルギー177kcal　塩分1.2g

STOCK SALAD

# 大根とにんじんのエスニックなます

ナンプラーを加えてエスニック風に仕上げましょう。
いつもとひと味違うサラダや炒めものを楽しみたいときに活躍します！

抗酸化ビタミンたっぷり、消化も促す万能おかず

### 作りやすい分量（2人×3回分）

| | |
|---|---|
| 大根 | 約15cm（500g） |
| にんじん | 30g |
| A 酢・水 | 各大さじ2 |
| 　ナンプラー | 大さじ1と⅓ |
| 　砂糖 | 大さじ1と½ |

### 作り方

1. 大根とにんじんはせん切りにし、重量の1%ほどの塩（分量外）をふり、しんなりしたら水けを絞る。
2. Aを混ぜ合わせ、1を加えてあえ、味がなじむまで30分以上おく。

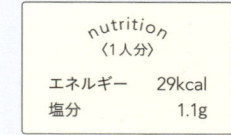

nutrition
〈1人分〉
エネルギー　29kcal
塩分　1.1g

## ARRANGE 1
# 香菜とサニーレタスのサラダ

抗酸化力の高い野菜と
合わせてパワーアップ！

### 材料（2人分）
大根とにんじんの
　エスニックなます……1/3量
香菜……………………適量
サニーレタス……………2枚

A｜ごま油………大さじ1/2
　｜こしょう………少量

### 作り方
1 香菜とサニーレタスは食べやすくちぎる。
2 Aを混ぜ合わせ、1と大根とにんじんのエスニックなますを加えてあえる。

〈1人分〉エネルギー61kcal　塩分1.1g

## ARRANGE 2
# えびのエスニック炒め

えびと根菜を加えて
栄養満点のメインおかずに

### 材料（2人分）
大根とにんじんの
　エスニックなます……1/3量
えび（ブラックタイガー）
　………………………150g
れんこん………………80g
塩………………………少量
酒……………………大さじ1/2
しょうゆ………………小さじ1/2
サラダ油………………大さじ1

### 作り方
1 えびは背に切り目を入れて背ワタをとり、尾の先を切り落として包丁でしごき、汚れをとる。塩と酒をふる。
2 れんこんは5mm厚さの半月切りにし、水にさらしてアクをぬく。
3 フライパンにサラダ油を熱して1を炒め、八分通り火が通ったら2を加える。
4 れんこんの表面が透明になってきたら、大根とにんじんのエスニックなますを加えて全体を混ぜ、しょうゆを加えて炒める。

〈1人分〉エネルギー177kcal　塩分1.8g

PART4　忙しい日にお役立ち　作りおきサラダ

STOCK SALAD

# 小松菜のナムル

にんにくやごま油の風味で、白いごはんがすすむ一品。
献立の副菜や、おべんとうにもう一品…というときにも重宝します。

鉄分や
カルシウムが満載。
女性にうれしい常備菜

### 作りやすい分量（2人×3回分）

| | |
|---|---|
| 小松菜 | 大1束（500g） |

A
- おろしにんにく … ½片分
- ごま油 … 大さじ1
- しょうゆ … 大さじ½
- 塩 … 小さじ½
- 一味唐辛子 … 適量

### 作り方

小松菜は塩ゆでし、冷水にとって水けを絞り、3cm長さに切る。Aを混ぜ合わせ、小松菜を加えてあえる。

nutrition
〈1人分〉
エネルギー　32kcal
塩分　0.7g

## ARRANGE 1

# 小松菜と春雨のあえもの

いつもの春雨サラダに
栄養と彩りをプラス

### 材料（2人分）

| | |
|---|---|
| **小松菜のナムル** | 1/3量 |
| 春雨（乾燥） | 15g |
| ハム（薄切り） | 1枚 |
| A [ 溶き卵 | 1個分 |
|   [ 塩 | 少量 |
| サラダ油 | 小さじ1/2 |
| B [ 酢 | 大さじ1 |
|   [ 砂糖・しょうゆ | 各小さじ1/2 |

### 作り方

1 春雨はゆでて水けをきり、食べやすい長さに切る。ハムはせん切りにする。

2 フライパンにサラダ油を熱し、混ぜ合わせたAを流し入れ、薄焼き卵を作る。あら熱がとれたらせん切りにする。

3 Bを混ぜ合わせ、1、2、小松菜のナムルを加えてあえる。

〈1人分〉エネルギー131kcal　塩分1.4g

## ARRANGE 2

# 小松菜と豆腐のじゃこサラダ

トマト、豆腐と合わせて
ヘルシーサラダに

### 材料（2人分）

| | |
|---|---|
| **小松菜のナムル** | 1/3量 |
| 木綿豆腐 | 2/3丁 |
| トマト | 1/2個 |
| ちりめんじゃこ | 大さじ2 |
| サラダ油 | 大さじ1と1/2 |
| A [ 酢 | 大さじ1 |
|   [ しょうゆ | 大さじ1/2 |
|   [ 砂糖 | 小さじ1/3 |

### 作り方

1 豆腐は食べやすくくずし、トマトはひと口大に切る。

2 フライパンにサラダ油を熱し、じゃこを色よく炒める。合わせたAに加え、混ぜ合わせる。

3 1と小松菜のナムルを器に盛り、2をかける。

〈1人分〉エネルギー207kcal　塩分1.6g

PART4　忙しい日にお役立ち　作りおきサラダ

STOCK SALAD

# ひじきとレンズ豆のマリネ

和風＋洋風食材のコラボで、つい手がのびるおいしさに！
サラダやあえものなど、アレンジのバリエーションも広がります。

おなかすっきり、
腸内環境の
改善に期待大！

**作りやすい分量（2人×3回分）**

| | |
|---|---|
| 生ひじき | 400g |
| レンズ豆（水煮） | 100g |
| しょうゆ | 大さじ1 |
| A にんにく（みじん切り） | 1片分 |
| オリーブオイル | 大さじ2 |
| 白ワイン | 大さじ1と½ |
| 塩 | 小さじ⅕ |
| こしょう | 少量 |

**作り方**

1 ひじき、レンズ豆はそれぞれ水洗いして水けをきり、ひじきにはしょうゆをふる。

2 Aを混ぜ合わせ、1を加えてあえ、味をなじませる。

nutrition
〈1人分〉

| | |
|---|---|
| エネルギー | 80kcal |
| 塩分 | 1.0g |

## ARRANGE 1
# 和風ポテトサラダ

ビタミンC豊富なじゃがいもと
合わせれば美肌効果も

### 材料（2人分）

| | |
|---|---|
| **ひじきとレンズ豆のマリネ** | ⅙量 |
| じゃがいも | 大1個 |
| 菜の花 | 100g |

A
- 酢 … 大さじ½
- 砂糖 … 小さじ½
- 塩 … 少量

### 作り方

1 菜の花は塩ゆでし、冷水にとって水けを絞り、3cm長さに切ってひじきとレンズ豆のマリネと合わせる。

2 じゃがいもはひと口大に切り、水にさらしてアクをぬく。ひたひたの1％塩水とともに鍋に入れて火にかけ、煮立ったら弱火にし、やわらかくなるまでゆでる。ゆで汁を捨てて再び火にかけ、水分をとばして粉ふきいもにする。

3 Aを混ぜ合わせ、2を熱いうちに加えてあえ、そのまま冷ます。あら熱がとれたら1を加えてあえる。

〈1人分〉エネルギー117kcal　塩分1.2g

## ARRANGE 2
# ブルスケッタ

トマトのリコピンで
アンチエイジング！

### 材料（2人分）

A
- **ひじきとレンズ豆のマリネ** … ⅙量
- トマト … ½個
- オリーブオイル … 大さじ½
- 塩 … 少量

| | |
|---|---|
| バゲット | 約¼本（60g） |
| オリーブオイル | 小さじ1 |

### 作り方

1 トマトは種をとって角切りにし、残りのAと混ぜ合わせる。

2 バゲットは縦半分に切って食べやすい長さに切り、切り口を上にしてオーブントースターで焼く。途中、取り出してオリーブオイルを薄く塗り、再びこんがりと焼き、1をのせる。あればチャービル（分量外）を飾る。

〈1人分〉エネルギー177kcal　塩分1.2g

---

PART4　忙しい日にお役立ち　作りおきサラダ

Column 4

## おいしいサラダのための
# 5つのヒント

切って、あえるだけ。ゆでて、混ぜるだけ。
調理工程がシンプルなぶん、実はサラダはとても奥深い！
ワンランク上のおいしさに仕上げるためのひと手間、小さなコツをご紹介します。

### Hint.1
### 野菜の水けはよくきる

サラダ作りでいちばん大切！　といっても過言ではないのが野菜の水きり。野菜に余計な水分が残っていると、ドレッシングであえたときに仕上がりがべちゃっとして、味もぼやけてしまいます。洗ったり下ゆでした野菜は、ざるに上げたりキッチンペーパーでふくなどして、しっかりと水けをきりましょう。あればサラダスピナーを使うと、仕上がりが格段に違います！

### Hint.2
### 野菜の重量の1%の塩水で、ゆですぎない

野菜を下ゆでするときは、重量の1%ほどの塩水をたっぷりと沸かしましょう。下ゆでの大事なポイントは"ゆですぎない"こと。青菜はきれいな緑色に変わったらすぐに冷水にとると、色鮮やかに、つやよく仕上がります。

### Hint.3
### よく冷やし、食べる直前にあえる

水っぽくて生ぬるいサラダではおいしさも半減。塩けが加わると野菜から水分が出てしまうので、ドレッシングであえるのは必ず食べる直前に！　また、ゆでた野菜は冷水にとったり、生野菜は冷水につけてパリッとさせるなど、よく冷やしておきましょう。

### Hint.4
### 彩り、食感、香りの調和を考える

彩りや食感、香りがバラバラだと、見た目も味わいもまとまりのないサラダになってしまいます。アクセントになる色の野菜を取り入れる、大きさや長さを揃えて切る、シャキシャキの食感を残すように下処理する…など、口に入るときのことを考えて、バランスよく仕上げましょう。

### Hint.5
### 市販のドレッシングに頼らない

冷蔵庫に使いかけのドレッシングが何種類も眠っていませんか？　市販品を揃えなくても、たとえばオリーブオイルにビネガー、塩、こしょうを混ぜ合わせるだけで立派なドレッシングに！　添加物などの心配もありません。オイルをごま油にかえたり、ビネガーをレモンにかえたりすれば、違う味も楽しめます。隠し味でみそやしょうゆを加えたり、豆板醤やすりおろしたしょうが、にんにくをアクセントに加えても。自家製ドレッシングなら、サラダのおいしさもひとしおです！

*filling salad*

## PART5

良質なたんぱく質と合わせて
# ボリュームサラダ

肉や魚などに含まれる良質なたんぱく質は
新しい細胞の材料になる、大切な栄養素。
きれいな肌や髪のためには欠かせません。
肉・魚介＋野菜のボリュームサラダは
一品で栄養バランス良好、見た目も華やか！
パンやスープと組み合わせれば豪華なランチにも、
誰か来る日のおもてなしにも大活躍してくれます。

Filling salad 01

# 蒸し鶏とクレソンの ごまサラダ

鶏肉のコラーゲンと野菜のビタミンでツヤ肌に！

## 材料（2人分）

| | |
|---|---|
| 鶏もも肉 | 100g |
| クレソン | ½束（15g） |
| トマト | 大½個 |
| 長ねぎ | 15g |
| 塩 | 少量 |
| 酒 | 大さじ½ |
| A　おろししょうが | ¼かけ分 |
| 　　白練りごま・酢 | 各大さじ1 |
| 　　しょうゆ | 小さじ2 |
| 　　砂糖 | 小さじ1 |
| 　　ごま油 | 小さじ½ |
| 白いりごま | 小さじ½ |

## 作り方

1. 鶏肉は皮つきのまま塩と酒をふり、フォークなどで数か所穴をあける。耐熱容器に入れてラップをし、電子レンジで2分～2分半加熱し、火を通す。ラップをしたまま冷まし、あら熱がとれたら食べやすく裂く。

2. クレソンは食べやすくちぎり、トマトはくし形切りにする。長ねぎはせん切りにする。

3. Aを混ぜ合わせ、1と2を加えてあえる。器に盛り、ごまをふる。

nutrition
〈1人分〉
エネルギー　190kcal
塩分　1.2g

## 材料（2人分）

| | |
|---|---|
| ローストビーフ | 100g |
| じゃがいも | 大1個 |
| 紫玉ねぎ | 30g |
| クレソン | ½束（15g） |
| A ┌ 酢 | 大さじ½ |
| ├ 砂糖 | 小さじ½ |
| └ 塩 | 少量 |
| マヨネーズ | 大さじ1 |

## 作り方

1. ローストビーフは食べやすい大きさに切る。
2. 紫玉ねぎは薄切りにし、塩少量（分量外）をふり、しんなりしたら水洗いして水けを絞る。クレソンは食べやすくちぎる。
3. じゃがいもはひと口大に切り、水にさらしてアクをぬく。ひたひたの1％塩水とともに鍋に入れて火にかけ、煮立ったら弱火にし、やわらかくなるまでゆでる。ゆで汁を捨てて再び火にかけ、水分をとばして粉ふきいもにする。
4. Aを混ぜ合わせ、3を熱いうちに加えてあえ、そのまま冷ます。1、2、マヨネーズを加えてあえる。

> 女性に不足しがちな鉄を含む牛肉で。おもてなしにもぴったりのサラダ

**PART5** 良質なたんぱく質と合わせて ボリュームサラダ

### Filling salad 02
# ローストビーフとじゃがいものサラダ

nutrition 〈1人分〉
エネルギー 205kcal
塩分 1.2g

## Filling salad 03
# ささみとオクラのとろとろサラダ

### 材料(2人分)
- 鶏ささみ……………1本
- オクラ………………4本
- 長いも………………100g
- みょうが……………1個
- 塩……………………少量
- 酒……………………大さじ½
- A [ 酢・しょうゆ……各大さじ½ ]

### nutrition
〈1人分〉
エネルギー　74kcal
塩分　0.8g

### 作り方
1. ささみは耐熱容器に入れて塩と酒をふり、ラップをして電子レンジで2〜3分加熱する。ラップをしたまま冷まし、あら熱がとれたら食べやすく裂く。
2. オクラはヘタをとり、塩少量（分量外）をふって板ずりし、さっとゆでて小口切りにする。長いもは粗みじん切りに、みょうがはせん切りにする。
3. Aを混ぜ合わせ、1と2を加えてあえる。

## Filling salad 04
# レバーとモロヘイヤのサラダ

### 材料(2人分)
- 鶏レバー……………100g
- モロヘイヤ…………100g
- トマト………………1個
- しょうゆ・酒・オリーブオイル
  　　　　　　　各小さじ1
- A [ オリーブオイル……大さじ1
      酢……………大さじ½
      塩……………小さじ¼
      こしょう………少量 ]

### nutrition
〈1人分〉
エネルギー　169kcal
塩分　1.3g

### 作り方
1. モロヘイヤはかためにゆでし、冷水にとって水けを絞り、3cm長さに切る。トマトはくし形切りにする。
2. レバーは流水につけて血抜きをする。フライパンにオリーブオイルを熱し、レバーをこんがりと焼いて中まで火を通す。酒としょうゆを加えてからめる。
3. Aを混ぜ合わせ、1と2を加えてあえる。

Filling salad 05

# ゆで豚の
# オニオンサラダ

ビタミンB₁豊富な
豚肉＋玉ねぎで
疲労回復に役立ちます

PART5 良質なたんぱく質と合わせて ボリュームサラダ

### 材料（2人分）

豚もも肉（しゃぶしゃぶ用）……100g
ほうれん草（サラダ用）…………30g
紫玉ねぎ………………………………¼個
A ┌ 酢……………………………大さじ1
　├ しょうゆ……………………小さじ2
　├ サラダ油……………………大さじ½
　├ ごま油………………………小さじ1
　└ 豆板醤………………………適量

### 作り方

1　豚肉はゆで、氷水にとって冷まし、水けをきる。

2　ほうれん草は食べやすい長さに切り、紫玉ねぎは薄切りにする。それぞれ水にさらして水けをきる。

3　2を合わせて器に盛り、1をのせ、混ぜ合わせたAをかける。

nutrition
〈1人分〉
エネルギー　157kcal
塩分　1.1g

## Filling salad 06
# 焼き野菜の肉みそかけ

良質なたんぱく質とビタミンCで美肌を生むコラーゲンを生成！

### 材料（2人分）
| | |
|---|---|
| かぼちゃ | 100g |
| ピーマン（緑・赤） | 各1個 |
| 長ねぎ | ½本 |

**肉みそ**

| | | |
|---|---|---|
| 豚赤身ひき肉 | | 80g |
| A | 長ねぎ | 10g |
| | しょうが | ½かけ |
| | 干ししいたけ（もどして軸を落とす） | 2枚 |
| | ゆでたけのこ | 20g |
| サラダ油 | | 小さじ1 |
| B | 干ししいたけのもどし汁 | 大さじ2 |
| | 甜麺醤 | 小さじ2 |
| | しょうゆ | 大さじ½ |
| | 砂糖・酒・片栗粉 | 各小さじ1 |

### 作り方

1 かぼちゃはくし形切りにし、ラップに包んで電子レンジで2分加熱する。ピーマンは縦半分に切って種をとる。長ねぎはぶつ切りにする。

2 **1**を熱した焼き網で焼き、器に盛り合わせる。

3 **A**はすべてみじん切りにする。

4 フライパンにサラダ油と**A**の長ねぎ、しょうがを熱し、香りが立ったらひき肉を加えて炒める。残りの**A**を加えて炒め、混ぜ合わせた**B**を加えて炒める。とろみがついたら**2**にかける。

---

nutrition
〈1人分〉
エネルギー　193kcal
塩分　0.8g

*Filling salad 07*

# 蒸し鶏の
# ヨーグルトトマトソース

> ぱさつきがちな鶏むね肉も
> ヨーグルトソースでしっとり

PART5 良質なたんぱく質と合わせて ボリュームサラダ

### 材料（2人分）

| | | |
|---|---|---|
| 鶏むね肉（皮なし） | | 150g |
| A | 白ワイン | 大さじ1 |
| | 塩 | 小さじ1/5 |
| | こしょう | 少量 |
| キャベツ | | 3枚 |
| B | トマト（乱切り） | 大1/2個分 |
| | 玉ねぎ（みじん切り） | 10g |
| | プレーンヨーグルト | 大さじ2 |
| | オリーブオイル | 大さじ1 |
| | 酢 | 小さじ2/3 |
| | 砂糖 | 小さじ1/3 |
| | 塩 | 小さじ1/6 |
| パセリ（ちぎる） | | 適量 |

### 作り方

**1** 鶏肉は耐熱容器に入れ、Aをふってラップをし、電子レンジで2分半〜3分加熱して火を通す。ラップをしたまま冷まし、あら熱がとれたら食べやすく裂く。

**2** キャベツは塩ゆでし、水けをきって細切りにする。

**3** 玉ねぎは塩少量（分量外）をふり、しんなりしたら水洗いして水けを絞り、残りのBと混ぜ合わせる。

**4** 1と2を合わせて器に盛り、3をかけ、パセリを散らす。

nutrition
〈1人分〉
エネルギー 188kcal
塩分 1.2g

## 材料（2人分）

かつお（刺身用）……………200g
水菜………………………………100g
香菜……………………………適量

A ┃ しょうゆ・酢・サラダ油
　 ┃ ………………各大さじ1
　 ┃ 砂糖……………小さじ½
　 ┃ にんにく（みじん切り）
　 ┃ ……………………½片分
　 ┃ しょうが（せん切り）
　 ┃ ……………………½かけ分

## 作り方

1. かつおは血合いを除き、5mm厚さに切る。
2. 水菜は5cm長さに切り、香菜は食べやすくちぎる。それぞれ水にさらしてパリッとさせ、水けをきる。
3. 1と2を合わせて器に盛り、混ぜ合わせたAをかける。

> 香味野菜をきかせたドレッシングで、いつものお刺身がごちそうサラダに！

Filling salad 08

# かつおと水菜の中国風サラダ

nutrition 〈1人分〉
エネルギー　197kcal
塩分　　　　1.5g

*Filling salad 09*

# 春菊と魚介類の
# サラダ

魚介に野菜にきのこ…
栄養バランス抜群の
ボリュームサラダ

PART5　良質なたんぱく質と合わせて　ボリュームサラダ

### 材料（2人分）

| | |
|---|---|
| 春菊 | 50g |
| あじ（刺身用） | 1尾（100g） |
| ゆでだこ（刺身用） | 70g |
| 赤貝（刺身用） | 50g |
| トマト | 大½個 |
| レタス | 3枚 |
| えのきたけ | 40g |
| A　酢 | 大さじ1と⅓ |
| 　　しょうゆ・サラダ油 | 各大さじ1 |
| 　　砂糖 | 小さじ⅓ |
| 　　こしょう | 少量 |

### 作り方

**1** あじは三枚におろして皮をとり、背側に格子状の切り目を入れてひと口大のそぎ切りにする。たこはそぎ切りにし、赤貝は塩水でさっと洗って水けをきる。

**2** 春菊は葉先を摘む。トマトはくし形切りにし、レタスは食べやすくちぎる。えのきは石づきを落として細かくほぐす。

**3** 1と2を合わせて器に盛り、混ぜ合わせたAをかける。

*nutrition*
〈1人分〉
エネルギー　204kcal
塩分　1.9g

*Filling salad 10*

# ゴーヤーとたこの エスニックサラダ

独特の苦味のあるゴーヤー。生でビタミンCを逃さず摂取！

### 材料（2人分）

| | |
|---|---|
| ゴーヤー | ½本 |
| ゆでだこ（刺身用） | 100g |
| 紫玉ねぎ | 30g |
| トマト | 大½個 |
| A　サラダ油 | 小さじ2 |
| 　　しょうゆ・酢 | 各大さじ½ |
| 　　ナンプラー | 小さじ1 |
| 　　砂糖 | 小さじ½ |
| 　　ラー油 | 少量 |

**nutrition 〈1人分〉**
エネルギー　128kcal
塩分　1.4g

### 作り方

1 ゴーヤーは縦半分に切り、種とワタをとって薄切りにする。塩少量（分量外）をふり、しんなりしたら水洗いして水けを絞る。たこは薄切りにする。

2 紫玉ねぎは薄切りにし、塩少量（分量外）をふってしんなりしたら水にさらし、水けを絞る。トマトはくし形切りにする。

3 Aを混ぜ合わせ、1、2を加えてあえる。

## Filling salad 11
# 鯛のサラダ風カルパッチョ

### 材料（2人分）
| | |
|---|---|
| 鯛（刺身用） | 150g |
| 水菜 | 30g |
| ルッコラ | 30g |
| トマト | 小1個 |
| マッシュルーム | 3個 |
| 長ねぎ | 10g |
| 塩 | 小さじ1/5 |
| こしょう | 少量 |
| A オリーブオイル | 大さじ1 |
| 　塩・こしょう | 各少量 |

**nutrition 〈1人分〉**
エネルギー　215kcal
塩分　1.1g

### 作り方
1. 鯛はひと口大の薄いそぎ切りにして器に並べ、塩、こしょうをふる。
2. 水菜は5cm長さに切り、ルッコラは根元を切り落として長さを半分に切る。トマトは乱切りにし、マッシュルームは石づきを落として薄切りにする。長ねぎはせん切りにする。
3. 1に2を彩りよくのせ、混ぜ合わせたAをかける。

---

## Filling salad 12
# あじと水菜のごま風味サラダ

### 材料（2人分）
| | |
|---|---|
| あじ（刺身用） | 2尾（200g） |
| 水菜 | 80g |
| A 大根 | 30g |
| 　長ねぎ | 10g |
| 　にんじん | 10g |
| B しょうゆ・酢・サラダ油 | 各大さじ1 |
| 　白いりごま | 大さじ1/2 |
| 　砂糖 | 小さじ1/2 |

**nutrition 〈1人分〉**
エネルギー　216kcal
塩分　1.7g

### 作り方
1. あじは三枚におろして皮をとり、背側に格子状の切り目を入れてひと口大のそぎ切りにする。
2. 水菜は5cm長さに切り、Aはすべてせん切りにする。それぞれ水にさらしてパリッとさせ、水けをきる。
3. 2を合わせて器に盛り、1をのせ、混ぜ合わせたBをかける。

PART 5　良質なたんぱく質と合わせて　ボリュームサラダ

Column 5

## 健康美に欠かせない
# たんぱく質の話

炭水化物、脂質とともに三大栄養素とされているたんぱく質。およそ10万個もの
たんぱく質で構成されている私たちの体。健康で美しくあるために、欠かせない存在です。

### Q1 たんぱく質の働きは？

A たんぱく質は、私たちの肌や髪、筋肉や内臓などあらゆる組織のもとになる成分。不足すると細胞が生まれ変わることができなくなり、肌は荒れ、髪はパサつき、体力や免疫力も低下傾向に。貧血の引き金にもなるので注意が必要です。

### Q2 どんな食品に多く含まれる？

A 肉類、魚介類、卵類、豆類、牛乳やチーズなどの乳製品に多く含まれます。幅広い食品に含まれているので、比較的摂取しやすい栄養素ですが、肉や乳製品を極端に控えるようなまちがったダイエットをすると、不足してしまうことも。

### Q3 1日にどれくらいとればいい？

A 厚生労働省の「日本人の食事摂取基準（2015年版）」では、たんぱく質摂取の推奨量を18歳以上の男性で1日60g、女性は50gに定めています。たんぱく質は動物性と植物性を1：1でとるのが理想的です。動物性たんぱく質の供給源は肉や魚で、100gあたり15〜20gのたんぱく質が含まれます。植物性は、穀物と大豆製品などが主体です。

### Q4 良質なたんぱく質とは？

A たんぱく質を構成するアミノ酸のうち、私たちの体内ではほとんど合成できず、食品からとらなくてはならないものが9種類あり、これを「必須アミノ酸」といいます。これらをバランスよく含んでいるものが「良質たんぱく質」。肉や卵、牛乳、大豆はその供給源です。

### Q5 サラダに使いやすい食材は？

A 魚介や鶏肉など、脂肪が少なくクセのない食材がおすすめです。牛肉や豚肉を使う場合でも、脂肪の少ない部位のほうがフレッシュな野菜と相性がよく、冷めても脂がかたまらず、おいしくヘルシーにいただけます。

*Drinking salad*
**PART6**

## 野菜の栄養をまるごといただく
# 飲むサラダ

野菜の栄養やうまみを余さずいただける
スープ&ドリンクは、美容と健康のためにも
毎日の暮らしにぜひ取り入れたいメニュー。
お鍋ひとつでできるスープは、体をじんわり温め
気持ちをホッとゆるませてくれます。
野菜やくだものをミキサーで混ぜるだけ、の
お手軽ドリンクは、忙しい朝の栄養補給にもおすすめ。

Drinking salad 01

# ほうれん草とかぼちゃの豆乳スープ

抗酸化力の高い野菜と豆乳でアンチエイジング！

## 材料（2人分）

| | |
|---|---|
| ほうれん草 | 100g |
| かぼちゃ | 120g |
| 玉ねぎ | 小½個 |
| 顆粒ブイヨン | 小さじ½ |
| 豆乳 | 1と½カップ |
| 塩 | 小さじ¼ |
| こしょう | 少量 |

## 作り方

1 ほうれん草は塩ゆでし、冷水にとって水けを絞り、1.5cm長さに切る。

2 かぼちゃと玉ねぎはくし形切りにし、ひたひたの水、ブイヨンとともに鍋に入れて火にかける。煮立ったら火を弱め、野菜がやわらかくなるまで10～15分煮る。

3 1と豆乳を加えてひと煮し、塩、こしょうで味をととのえる。

nutrition
〈1人分〉
エネルギー　151kcal
塩分　1.1g

*Drinking salad 02*

# 菜の花とれんこんの すり流し汁

### 材料（2人分）

菜の花……………………80g
れんこん………………100g
A ┌ だし汁……1と½カップ
　├ しょうゆ…………小さじ1
　└ 塩………………小さじ¼

### 作り方

1. 菜の花は塩ゆでし、冷水にとって水けを絞り、3cm長さに切る。れんこんは皮をむき、水にさらしてアクをぬく。
2. 鍋にAを煮立て、れんこんをすりおろしながら加えてひと煮し、菜の花を加える。

nutrition 〈1人分〉
エネルギー　51kcal
塩分　　　　1.4g

---

*Drinking salad 03*

# コーンとしめじの中国風スープ

### 材料（2人分）

粒コーン（缶詰）…………50g
白しめじ……………………60g
きくらげ……………………適量
A ┌ 水…………………2カップ
　├ しょうゆ・顆粒ブイヨン
　│　　　　　　　…各小さじ½
　└ 塩………………小さじ¼

**水溶き片栗粉**
┌ 片栗粉…………大さじ⅔
└ 水………大さじ1と⅓

溶き卵…………………1個分
万能ねぎ（小口切り）……適量

### 作り方

1. コーンは汁けをきり、しめじは石づきを落として小房に分ける。きくらげは水につけてもどし、石づきを落とす。
2. 鍋にAを煮立て、1を加える。再び煮立ったら水溶き片栗粉を加えてとろみをつける。
3. 溶き卵を細く流し入れ、菜箸でかき混ぜてかきたま状にする。器に盛り、万能ねぎを散らす。

nutrition 〈1人分〉
エネルギー　80kcal
塩分　　　　1.5g

PART6　野菜の栄養をまるごといただく　飲むサラダ

女性にうれしい栄養が
ギュッと詰まったスープ

*Drinking salad 04*

# ひよこ豆入り野菜スープ

### 材料（2人分）

| | |
|---|---|
| ひよこ豆（水煮） | 50g |
| 玉ねぎ | ¼個 |
| にんじん | 50g |
| キャベツ | 100g |
| ほうれん草 | 50g |
| A ┌ 水 | 2カップ |
| └ 顆粒ブイヨン | 小さじ½ |
| 塩 | 小さじ⅓ |
| こしょう | 少量 |

### 作り方

1. ひよこ豆は水洗いして水けをきる。玉ねぎは薄切りにし、にんじんは1cm角に、キャベツは1cm幅に切る。ほうれん草は塩ゆでし、冷水にとって水けを絞り、1cm長さに切る。

2. 鍋にA、玉ねぎ、にんじんを入れて火にかけ、煮立ったらひよこ豆とキャベツを加える。再び煮立ったら火を弱めてアクをとり、5分ほど煮てほうれん草を加え、塩、こしょうで味をととのえる。

**nutrition**
〈1人分〉
エネルギー　80kcal
塩分　1.3g

## Drinking salad 05
# 豆乳ガスパチョ

### 材料（2人分）

| | |
|---|---|
| 豆乳 | 1カップ |
| トマト | 1個 |
| きゅうり | 1/2本 |
| セロリ | 1/3本 |
| にんにく | 1/4片 |
| 塩 | 小さじ1/3 |
| こしょう | 適量 |

### 作り方

1. トマトは横半分に切って種をとり、きゅうりとセロリは適当な大きさに切る。すべての材料をミキサーに入れ、なめらかになるまで撹拌する。
2. 器に盛り、あればバジル（分量外）を飾る。

**nutrition 〈1人分〉**
エネルギー　74kcal
塩分　1.0g

---

## Drinking salad 06
# ビーツのポタージュ

### 材料（2人分）

| | |
|---|---|
| ビーツ（水煮・缶詰） | 50g |
| じゃがいも | 100g |
| 玉ねぎ | 30g |
| バター | 大さじ1 |
| A　水 | 1カップ |
| 　　顆粒ブイヨン・塩 | 各小さじ1/3 |
| 　　こしょう | 少量 |
| 牛乳 | 1カップ |

### 作り方

1. ビーツとじゃがいもはひと口大に切り、玉ねぎは薄切りにする。
2. 鍋にバターを熱し、玉ねぎを炒める。しんなりしたらビーツとじゃがいもを加えてさらに炒める。
3. Aを加え、じゃがいもがやわらかくなるまで煮る。
4. 牛乳とともにミキサーに入れて撹拌し、なめらかになったら鍋に戻し入れて温める。器に盛り、あればチャービル（分量外）を飾る。

**nutrition 〈1人分〉**
エネルギー　171kcal
塩分　1.5g

---

PART6　野菜の栄養をまるごといただく　飲むサラダ

### Drinking salad 07
# 小松菜入り豆乳

nutrition 〈1人分〉
エネルギー 151kcal
塩分 0.1g

#### 材料（2人分）
小松菜……………………60g
豆乳……………1と½カップ
白練りごま・はちみつ
　………………………各大さじ1
塩………………………少量

#### 作り方
小松菜はラップに包んで電子レンジで1分30秒加熱し、冷ます。残りの材料とともにミキサーに入れ、なめらかになるまで撹拌する。

### Drinking salad 08
# にんじんとあんずのドリンク

nutrition 〈1人分〉
エネルギー 141kcal
塩分 0.1g

#### 材料（2人分）
にんじん…………………120g
干しあんず………………60g
はちみつ………………大さじ1
レモン汁………………大さじ⅔
水………………1と¼カップ
氷…………………………50g

#### 作り方
1. にんじんはひと口大に切る。
2. 1と残りの材料をミキサーに入れ、なめらかになるまで撹拌する。器に注ぎ、あればチャービル（分量外）を飾る。

### Drinking salad 09
# きなこほうれん草ミルク

nutrition 〈1人分〉
エネルギー 286kcal
塩分 0.3g

#### 材料（2人分）
きなこ…………………大さじ2
ほうれん草………………50g
牛乳……………………1カップ
スキムミルク・はちみつ
　………………………各大さじ1

#### 作り方
ほうれん草はラップに包んで電子レンジで40秒加熱し、冷ます。残りの材料とともにミキサーに入れ、なめらかになるまで撹拌する。

## Drinking salad 10

### トロピカルフルーツとにんじんのドリンク

nutrition 〈1人分〉
エネルギー　112kcal
塩分　0.1g

#### 材料（2人分）
パパイヤ……………………150g
マンゴー……………………100g
にんじん……………………100g
プレーンヨーグルト…½カップ
水………………………¼カップ

#### 作り方
1. パパイヤ、マンゴー、にんじんはひと口大に切る。
2. 1と残りの材料をミキサーに入れ、なめらかになるまで撹拌する。器に注ぎ、あれば半月切りにしたレモン（分量外）を飾る。

## Drinking salad 11

### アップルグリーンドリンク

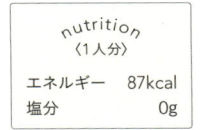

nutrition 〈1人分〉
エネルギー　87kcal
塩分　0g

#### 材料（2人分）
りんご………………………150g
ほうれん草……………………80g
キャベツ………………………70g
はちみつ……………………大さじ1
水……………………………⅔カップ
氷………………………………50g

#### 作り方
1. りんごは芯をとってひと口大に切り、ほうれん草とキャベツはひと口大にちぎる。
2. 1と残りの材料をミキサーに入れ、なめらかになるまで撹拌する。

## Drinking salad 12

### プチトマトとカリフラワーのイタリアンドリンク

nutrition 〈1人分〉
エネルギー　54kcal
塩分　0.4g

#### 材料（2人分）
プチトマト…………………200g
カリフラワー…………………50g
バジル…………………………2枚
オリーブオイル……………小さじ1
塩・こしょう………………各少量
水………………………………¼カップ

#### 作り方
1. プチトマトはヘタをとる。カリフラワーは小房に分けて塩ゆでする。
2. 1と残りの材料をミキサーに入れ、なめらかになるまで撹拌する。器に注ぎ、あればバジル（分量外）を飾る。

PART6　野菜の栄養をまるごといただく　飲むサラダ

### Drinking salad 13
## ブロッコリーとパイナップルのヨーグルトドリンク

**nutrition 〈1人分〉**
エネルギー　115kcal
塩分　0.2g

### 材料（2人分）
ブロッコリー……………80g
パイナップル（缶詰）……1枚
はちみつ……………大さじ½
プレーンヨーグルト・牛乳
　……………………各½カップ

### 作り方
1　ブロッコリーは小房に分けて塩ゆでする。パイナップルはひと口大に切る。
2　1と残りの材料をミキサーに入れ、なめらかになるまで撹拌する。

---

### Drinking salad 14
## 赤い野菜のヨーグルトセーキ

**nutrition 〈1人分〉**
エネルギー　112kcal
塩分　0.1g

### 材料（2人分）
パプリカ（赤）……………100g
トマト………………………1個
プレーンヨーグルト…1カップ
砂糖…………………大さじ1

### 作り方
1　パプリカとトマトはひと口大に切る。
2　1と残りの材料をミキサーに入れ、なめらかになるまで撹拌する。器に注ぎ、あれば飾り用のパプリカ（分量外）をのせる。

---

### Drinking salad 15
## ほうれん草と青じそのドリンク

**nutrition 〈1人分〉**
エネルギー　60kcal
塩分　0g

### 材料（2人分）
ほうれん草…………………60g
りんご………………………200g
青じそ………………………4枚
水……………………………¼カップ

### 作り方
1　ほうれん草はラップに包んで電子レンジで30秒加熱し、冷ます。りんごは芯をとってひと口大に切る。
2　1と残りの材料をミキサーに入れ、なめらかになるまで撹拌する。

## Drinking salad 16
### パプリカとキウイのドリンク

**nutrition 〈1人分〉**
エネルギー　48kcal
塩分　0g

#### 材料（2人分）
パプリカ（黄）……………60g
キウイフルーツ……………1個
砂糖…………………………大さじ1
水……………………………¾カップ

#### 作り方
1. パプリカはひと口大に、キウイは皮をむいてひと口大に切る。
2. 1と残りの材料をミキサーに入れ、なめらかになるまで撹拌する。

## Drinking salad 17
### かぼちゃとアーモンドのホットドリンク

**nutrition 〈1人分〉**
エネルギー　289kcal
塩分　0.2g

#### 材料（2人分）
かぼちゃ……………………150g
アーモンドプードル………30g
ブラウンシュガー……………大さじ1と½
牛乳…………………………1と½カップ

#### 作り方
1. かぼちゃは皮とワタをとってひと口大に切り、ラップに包んで電子レンジで3分加熱する。アーモンドプードルはフライパンでからいりする。
2. 1と残りの材料をミキサーに入れて撹拌する。なめらかになったら小鍋に移し、温める。

## Drinking salad 18
### さつまいものホットドリンク

**nutrition 〈1人分〉**
エネルギー　290kcal
塩分　0.2g

#### 材料（2人分）
さつまいも…………………200g
牛乳…………………………1と½カップ
スキムミルク………………大さじ2
はちみつ……………………大さじ1

#### 作り方
1. さつまいもは皮をむき、水にさらしてアクをぬく。ひと口大に切り、ラップに包んで電子レンジで2分加熱する。
2. 1と残りの材料をミキサーに入れて撹拌する。なめらかになったら小鍋に移し、温めて器に注ぐ。あればシナモンスティック（分量外）を添える。

PART6　野菜の栄養をまるごといただく　飲むサラダ

## nutrition
# 栄養価一覧

本書で紹介している料理の1人分の栄養成分値です。
『日本食品標準成分表2010』(文部科学省) に基づいて算出しています。

| | 料理名 | 掲載ページ | エネルギー (kcal) | たんぱく質 (g) | 脂質 (g) | 炭水化物 (g) | カリウム (mg) | カルシウム (mg) | ビタミンA (レチノール当量) (μg) | ビタミンE (mg) | ビタミンB1 (mg) | ビタミンB2 (mg) | ビタミンC (mg) | コレステロール (mg) | 食物繊維 (g) | 食塩相当量 (g) |
|---|---|---|---|---|---|---|---|---|---|---|---|---|---|---|---|---|
| 毎日食べたいシンプルデイリーサラダ | トマトと大豆のイタリアンサラダ | 10 | 116 | 4.7 | 8.1 | 6.6 | 240 | 46 | 65 | 1.5 | 0.05 | 0.04 | 14 | 0 | 3.2 | 0.9 |
| | キャベツとにんじんのヘルシーコールスロー | 11 | 95 | 2.0 | 6.7 | 7.6 | 262 | 67 | 48 | 0.6 | 0.05 | 0.06 | 43 | 2 | 2.1 | 0.8 |
| | ブロッコリーとじゃがいもの炒めサラダ | 12 | 102 | 2.6 | 3.3 | 16.4 | 453 | 14 | 35 | 1.7 | 0.12 | 0.10 | 90 | 0 | 2.5 | 0.9 |
| | もやしときゅうりの低カロリーサラダ | 13 | 35 | 1.7 | 2.0 | 3.2 | 133 | 20 | 10 | 0.2 | 0.04 | 0.05 | 11 | 0 | 1.3 | 0.7 |
| | かぼちゃとプルーンのスイートサラダ | 14 | 184 | 2.5 | 3.4 | 37.9 | 599 | 22 | 345 | 5.4 | 0.09 | 0.11 | 47 | 0 | 4.6 | 0 |
| ビタミンたっぷり さびない体をつくるサラダ | キドニービーンズとパプリカのチーズサラダ | 16 | 207 | 9.2 | 11.6 | 17.1 | 473 | 60 | 102 | 2.6 | 0.20 | 0.23 | 86 | 29 | 7.9 | 0.8 |
| | キャベツとスナップえんどうのカレードレッシングサラダ | 17 | 93 | 2.3 | 6.2 | 8.4 | 208 | 44 | 21 | 1.0 | 0.09 | 0.06 | 46 | 0 | 2.4 | 0.7 |
| | かぼちゃとクレソンのアーモンドサラダ | 18 | 234 | 4.2 | 14.2 | 23.7 | 556 | 49 | 353 | 9.2 | 0.11 | 0.21 | 45 | 14 | 4.7 | 0.9 |
| | 油揚げとにんじんのサラダ | 19 | 137 | 3.4 | 11.0 | 5.9 | 323 | 69 | 341 | 1.3 | 0.04 | 0.03 | 4 | 0 | 1.8 | 0.7 |
| | ルッコラとキウイのサラダ | 20 | 78 | 0.7 | 6.1 | 5.0 | 112 | 36 | 47 | 1.3 | 0.02 | 0.03 | 26 | 0 | 1.2 | 0.4 |
| | おからとブロッコリーのタラモ風 | 21 | 189 | 10.4 | 10.9 | 14.2 | 571 | 64 | 66 | 4.4 | 0.31 | 0.28 | 111 | 89 | 5.5 | 1.4 |
| | ほうれん草とれんこんの和風サラダ | 22 | 94 | 3.1 | 4.8 | 11.1 | 596 | 73 | 177 | 1.7 | 0.12 | 0.12 | 42 | 6 | 2.8 | 0.9 |
| | せりとじゃがいものごまマヨネーズ | 23 | 132 | 2.7 | 6.5 | 16.7 | 597 | 28 | 202 | 1.1 | 0.10 | 0.11 | 39 | 9 | 2.9 | 0.9 |
| | セロリとにんじんの甘酢漬け | 23 | 46 | 1.0 | 0.1 | 10.4 | 328 | 32 | 274 | 0.3 | 0.03 | 0.04 | 5 | 0 | 1.8 | 0.9 |
| | 菜の花のごま明太子マヨネーズあえ | 24 | 103 | 6.9 | 7.0 | 5.7 | 368 | 169 | 141 | 3.5 | 0.22 | 0.29 | 102 | 44 | 4.0 | 1.0 |
| | オリーブとプチトマトのマリネ | 25 | 117 | 0.8 | 10.9 | 4.5 | 156 | 18 | 44 | 1.8 | 0.05 | 0.04 | 16 | 0 | 1.2 | 0.7 |
| | モロヘイヤと厚揚げの辛味あえ | 25 | 81 | 6.0 | 4.8 | 4.7 | 334 | 205 | 454 | 3.5 | 0.12 | 0.23 | 33 | 0 | 3.3 | 0.7 |
| 食物繊維のチカラで おなかすっきりサラダ | しめじとごぼうのイタリアンサラダ | 28 | 154 | 3.1 | 6.3 | 23.6 | 470 | 46 | 4 | 1.0 | 0.10 | 0.10 | 5 | 0 | 5.8 | 1.3 |
| | 豆とサニーレタスのサラダ | 29 | 116 | 3.6 | 6.6 | 10.0 | 229 | 30 | 44 | 1.4 | 0.09 | 0.05 | 5 | 0 | 3.8 | 0.7 |
| | なすとかぼちゃのヨーグルトドレッシング | 30 | 157 | 3.2 | 7.0 | 20.7 | 519 | 64 | 270 | 4.5 | 0.10 | 0.14 | 36 | 3 | 4.5 | 0.8 |
| | 切り干し大根のピリ辛サラダ | 31 | 67 | 2.1 | 2.3 | 10.5 | 691 | 80 | 176 | 1.1 | 0.09 | 0.13 | 18 | 0 | 3.5 | 0.9 |
| | サーモンとカリフラワーのナッツサラダ | 31 | 176 | 8.7 | 14.1 | 5.1 | 430 | 77 | 38 | 1.7 | 0.12 | 0.15 | 54 | 10 | 3.0 | 0.9 |

| | 料理名 | 掲載ページ | エネルギー(kcal) | たんぱく質(g) | 脂質(g) | 炭水化物(g) | カリウム(mg) | カルシウム(mg) | ビタミンA(レチノール当量)(μg) | ビタミンE(mg) | ビタミンB1(mg) | ビタミンB2(mg) | ビタミンC(mg) | コレステロール(mg) | 食物繊維(g) | 食塩相当量(g) |
|---|---|---|---|---|---|---|---|---|---|---|---|---|---|---|---|---|
| 食物繊維のチカラでおなかすっきりサラダ | ひじきとトマトのマリネ | 32 | 114 | 7.2 | 7.7 | 8.8 | 603 | 197 | 144 | 0.8 | 0.07 | 0.22 | 6 | 12 | 5.3 | 1.6 |
| | おからのカレー風味サラダ | 33 | 150 | 3.9 | 10.4 | 10.7 | 505 | 67 | 317 | 2.3 | 0.11 | 0.12 | 15 | 18 | 6.7 | 1.3 |
| | わかめとサンチュのキムチドレッシング | 34 | 92 | 2.3 | 6.3 | 7.8 | 495 | 53 | 142 | 1.9 | 0.10 | 0.10 | 28 | 0 | 2.8 | 1.0 |
| | にんじんのたらこ炒め | 35 | 90 | 5.3 | 3.9 | 8.4 | 344 | 34 | 531 | 2.4 | 0.17 | 0.15 | 38 | 53 | 3.0 | 1.0 |
| | 納豆なめこおろし | 35 | 75 | 5.8 | 2.6 | 9.3 | 490 | 38 | 9 | 0.2 | 0.09 | 0.17 | 10 | 0 | 4.0 | 0.7 |
| | カリフラワーとほうれん草のサラダ | 36 | 118 | 6.2 | 8.7 | 4.4 | 622 | 38 | 177 | 2.0 | 0.22 | 0.18 | 61 | 12 | 2.9 | 1.1 |
| | ブロッコリーと豆のマリネサラダ | 37 | 147 | 7.2 | 8.1 | 11.3 | 289 | 58 | 28 | 1.5 | 0.11 | 0.11 | 49 | 0 | 6.9 | 0.9 |
| 野菜をたっぷり食べられるホットサラダ | 温野菜のごまソースかけ | 40 | 176 | 7.1 | 9.8 | 16.4 | 543 | 188 | 95 | 2.4 | 0.15 | 0.15 | 51 | 19 | 5.3 | 1.4 |
| | いかとエリンギのアンチョビ炒め | 41 | 146 | 15.5 | 7.8 | 6.6 | 931 | 54 | 272 | 3.3 | 0.19 | 0.32 | 27 | 169 | 4.3 | 1.5 |
| | ブロッコリーとあさりのくず煮 | 42 | 53 | 5.8 | 0.5 | 6.3 | 333 | 56 | 52 | 2.0 | 0.11 | 0.22 | 90 | 16 | 3.3 | 1.4 |
| | ザーサイとアスパラの炒めもの | 43 | 63 | 2.8 | 4.0 | 4.3 | 345 | 60 | 24 | 1.6 | 0.12 | 0.13 | 11 | 0 | 2.5 | 1.9 |
| | プチトマトとれんこんのソテー | 44 | 71 | 1.5 | 3.1 | 10.2 | 372 | 29 | 71 | 2.0 | 0.08 | 0.04 | 41 | 0 | 1.8 | 0.6 |
| | ゴーヤーのにんにく豆板醤炒め | 45 | 81 | 1.7 | 6.2 | 5.5 | 276 | 11 | 13 | 1.3 | 0.06 | 0.11 | 48 | 0 | 2.6 | 0.7 |
| | にんじんとにんにくの芽のピリ辛炒め | 45 | 89 | 1.8 | 4.2 | 10.1 | 237 | 35 | 366 | 1.1 | 0.07 | 0.08 | 20 | 0 | 2.8 | 1.6 |
| | ひよこ豆とピーマンのカレー炒め | 46 | 169 | 5.9 | 7.4 | 19.8 | 324 | 38 | 19 | 2.4 | 0.11 | 0.08 | 40 | 1 | 7.2 | 0.9 |
| | オリーブとパプリカのソテー | 46 | 70 | 1.0 | 5.4 | 5.5 | 162 | 43 | 62 | 2.7 | 0.04 | 0.05 | 102 | 0 | 1.7 | 1.1 |
| | ベーコン入りジャーマンポテト | 47 | 241 | 4.7 | 15.0 | 22.2 | 544 | 20 | 12 | 0.7 | 0.20 | 0.07 | 48 | 11 | 2.2 | 1.3 |
| | なすとパプリカのラタトゥイユ | 48 | 182 | 11.5 | 10.0 | 12.4 | 727 | 36 | 121 | 3.1 | 0.16 | 0.13 | 69 | 29 | 3.6 | 1.3 |
| | かぼちゃとほたてのチーズグラタン | 49 | 348 | 28.1 | 13.1 | 27.7 | 902 | 238 | 560 | 5.1 | 0.13 | 0.52 | 37 | 255 | 3.6 | 2.1 |
| | チンゲン菜とセロリのオイスターソースあえ | 50 | 36 | 1.2 | 2.1 | 3.5 | 314 | 86 | 129 | 0.8 | 0.03 | 0.06 | 20 | 0 | 1.3 | 1.0 |
| | モロヘイヤと油揚げの煮浸し | 51 | 84 | 5.7 | 5.3 | 5.4 | 382 | 181 | 420 | 3.5 | 0.10 | 0.24 | 33 | 0 | 4.0 | 1.0 |
| | ブロッコリーとじゃがいものミルク煮 | 51 | 150 | 7.0 | 4.4 | 22.1 | 668 | 137 | 74 | 1.3 | 0.18 | 0.28 | 89 | 13 | 3.2 | 1.1 |
| 野菜ひとつでミニサラダ | にんじんのコーンクリーム煮 | 52 | 107 | 3.1 | 2.3 | 19.3 | 429 | 93 | 717 | 0.7 | 0.07 | 0.14 | 9 | 6 | 3.3 | 0.9 |
| | ターサイのスープ浸し | 53 | 16 | 1.5 | 0.2 | 2.7 | 438 | 121 | 180 | 1.5 | 0.05 | 0.09 | 31 | 0 | 1.9 | 0.9 |
| | そら豆の甘煮 | 53 | 73 | 6.2 | 0.1 | 11.4 | 280 | 20 | 12 | 0 | 0.17 | 0.11 | 13 | 0 | 1.5 | 0.9 |
| | オクラのごまあえ | 54 | 45 | 1.9 | 2.1 | 5.7 | 129 | 79 | 20 | 0.4 | 0.05 | 0.05 | 4 | 0 | 2.2 | 0.7 |

| | 料理名 | 掲載ページ | エネルギー (kcal) | たんぱく質 (g) | 脂質 (g) | 炭水化物 (g) | カリウム (mg) | カルシウム (mg) | ビタミンA (レチノール当量) (μg) | ビタミンE (mg) | ビタミンB1 (mg) | ビタミンB2 (mg) | ビタミンC (mg) | コレステロール (mg) | 食物繊維 (g) | 食塩相当量 (g) |
|---|---|---|---|---|---|---|---|---|---|---|---|---|---|---|---|---|
| 野菜ひとつでミニサラダ | ルッコラのアンチョビ炒め | 54 | 51 | 1.3 | 4.6 | 1.3 | 68 | 58 | 90 | 0.9 | 0.02 | 0.05 | 20 | 0 | 0.9 | 0.5 |
| | グリーンアスパラのチーズ炒め | 55 | 98 | 4.8 | 7.2 | 3.7 | 189 | 109 | 166 | 1.2 | 0.09 | 0.16 | 8 | 11 | 1.0 | 0.5 |
| | ブロッコリーのしょうが風味あえ | 55 | 29 | 3.8 | 0.4 | 5.3 | 330 | 37 | 52 | 1.8 | 0.11 | 0.16 | 91 | 0 | 3.7 | 0.9 |
| | かぶの葉とじゃこのごま炒め | 56 | 85 | 3.7 | 5.0 | 6.4 | 288 | 218 | 180 | 2.9 | 0.08 | 0.14 | 62 | 12 | 2.4 | 1.1 |
| | かぼちゃのはちみつレモンあえ | 56 | 118 | 2.0 | 0.4 | 27.7 | 451 | 24 | 331 | 5.1 | 0.08 | 0.10 | 56 | 0 | 4.1 | 0 |
| | 芽キャベツのカレーマヨあえ | 57 | 71 | 3.6 | 4.4 | 6.2 | 372 | 25 | 39 | 0.9 | 0.12 | 0.14 | 96 | 9 | 3.4 | 0.5 |
| | チンゲン菜のにんにく炒め | 57 | 66 | 0.7 | 6.1 | 2.4 | 268 | 101 | 170 | 1.5 | 0.03 | 0.07 | 24 | 0 | 1.3 | 0.7 |
| 忙しい日にお役立ち 作りおきサラダ | ごぼうときのこの炒め煮 | 60 | 91 | 1.9 | 4.6 | 10.6 | 210 | 18 | 0 | 0.8 | 0.06 | 0.07 | 2 | 0 | 2.8 | 1.1 |
| | ごぼうのエスニックサラダ | 61 | 147 | 2.5 | 5.7 | 21.5 | 344 | 36 | 40 | 1.1 | 0.09 | 0.09 | 7 | 0 | 3.8 | 1.6 |
| | ごぼうのマリネ | 61 | 151 | 2.6 | 8.7 | 15.2 | 340 | 27 | 18 | 1.7 | 0.09 | 0.08 | 10 | 0 | 3.6 | 1.5 |
| | パプリカとツナのマリネ | 62 | 153 | 5.1 | 11.5 | 6.7 | 229 | 9 | 42 | 5.3 | 0.06 | 0.10 | 129 | 9 | 1.3 | 0.9 |
| | パプリカとツナ、豆のサラダ | 63 | 267 | 11.3 | 16.7 | 17.2 | 444 | 64 | 77 | 6.2 | 0.13 | 0.15 | 132 | 9 | 7.2 | 1.6 |
| | パプリカとツナ、アスパラの炒めもの | 63 | 177 | 5.7 | 13.5 | 7.7 | 298 | 14 | 50 | 5.9 | 0.07 | 0.14 | 132 | 9 | 1.8 | 1.2 |
| | 大根とにんじんのエスニックなます | 64 | 29 | 0.6 | 0.1 | 6.5 | 219 | 22 | 34 | 0 | 0.02 | 0.02 | 9 | 0 | 1.2 | 1.1 |
| | 香菜とサニーレタスのサラダ | 65 | 61 | 0.9 | 3.1 | 7.3 | 307 | 38 | 73 | 0.3 | 0.04 | 0.04 | 14 | 0 | 1.6 | 1.1 |
| | えびのエスニック炒め | 65 | 177 | 15.3 | 6.4 | 13.3 | 574 | 81 | 35 | 2.1 | 0.11 | 0.04 | 29 | 113 | 2.0 | 1.8 |
| | 小松菜のナムル | 66 | 32 | 1.4 | 2.2 | 2.4 | 430 | 142 | 218 | 0.8 | 0.08 | 0.11 | 33 | 0 | 1.6 | 0.7 |
| | 小松菜と春雨のあえもの | 67 | 131 | 6.3 | 7.2 | 10.0 | 497 | 159 | 256 | 1.2 | 0.15 | 0.24 | 38 | 109 | 1.9 | 1.4 |
| | 小松菜と豆腐のじゃこサラダ | 67 | 207 | 9.8 | 15.5 | 6.9 | 677 | 277 | 242 | 2.5 | 0.17 | 0.16 | 38 | 12 | 2.4 | 1.6 |
| | ひじきとレンズ豆のマリネ | 68 | 80 | 2.8 | 4.2 | 10.0 | 504 | 138 | 27 | 0.5 | 0.07 | 0.12 | 0 | 0 | 5.3 | 1.0 |
| | 和風ポテトサラダ | 69 | 117 | 4.8 | 2.3 | 22.0 | 755 | 152 | 103 | 1.7 | 0.18 | 0.22 | 91 | 0 | 5.7 | 1.2 |
| | ブルスケッタ | 69 | 177 | 4.5 | 7.5 | 24.0 | 365 | 77 | 32 | 1.0 | 0.08 | 0.08 | 6 | 0 | 3.8 | 1.2 |
| 良質なたんぱく質と合わせて ボリュームサラダ | 蒸し鶏とクレソンのごまサラダ | 72 | 190 | 10.9 | 12.6 | 7.7 | 366 | 119 | 65 | 0.8 | 0.12 | 0.15 | 14 | 49 | 2.0 | 1.2 |
| | ローストビーフとじゃがいものサラダ | 73 | 205 | 12.5 | 10.3 | 16.1 | 479 | 15 | 15 | 0.8 | 0.12 | 0.17 | 29 | 44 | 1.4 | 1.2 |
| | ささみとオクラのとろとろサラダ | 74 | 74 | 7.7 | 0.4 | 9.2 | 406 | 31 | 13 | 0.4 | 0.10 | 0.07 | 6 | 17 | 1.7 | 0.8 |
| | レバーとモロヘイヤのサラダ | 74 | 169 | 12.6 | 9.9 | 7.5 | 602 | 139 | 7455 | 4.7 | 0.32 | 1.13 | 54 | 185 | 3.7 | 1.3 |

| | 料理名 | 掲載ページ | エネルギー (kcal) | たんぱく質 (g) | 脂質 (g) | 炭水化物 (g) | カリウム (mg) | カルシウム (mg) | ビタミンA（レチノール当量）(µg) | ビタミンE (mg) | ビタミンB1 (mg) | ビタミンB2 (mg) | ビタミンC (mg) | コレステロール (mg) | 食物繊維 (g) | 食塩相当量 (g) |
|---|---|---|---|---|---|---|---|---|---|---|---|---|---|---|---|---|
| ボリュームサラダ　良質なたんぱく質と合わせて | ゆで豚のオニオンサラダ | 75 | 157 | 11.3 | 10.2 | 3.7 | 342 | 16 | 56 | 0.9 | 0.48 | 0.15 | 7 | 34 | 0.9 | 1.1 |
| | 焼き野菜の肉みそかけ | 76 | 193 | 11.3 | 6.8 | 22.5 | 608 | 25 | 185 | 3.7 | 0.44 | 0.22 | 63 | 27 | 4.6 | 0.8 |
| | 蒸し鶏のヨーグルトトマトソース | 77 | 188 | 19.0 | 7.8 | 9.6 | 618 | 68 | 47 | 1.3 | 0.14 | 0.14 | 50 | 54 | 2.4 | 1.2 |
| | かつおと水菜の中国風サラダ | 78 | 197 | 27.8 | 6.6 | 5.3 | 732 | 122 | 65 | 2.0 | 0.18 | 0.27 | 29 | 60 | 1.7 | 1.5 |
| | 春菊と魚介類のサラダ | 79 | 204 | 23.7 | 8.3 | 8.7 | 737 | 72 | 144 | 2.9 | 0.23 | 0.28 | 16 | 103 | 2.5 | 1.9 |
| | ゴーヤーとたこのエスニックサラダ | 80 | 128 | 12.6 | 5.0 | 8.3 | 464 | 28 | 42 | 2.6 | 0.09 | 0.10 | 58 | 75 | 1.4 | 1.4 |
| | 鯛のサラダ風カルパッチョ | 81 | 215 | 17.5 | 14.3 | 3.1 | 563 | 70 | 82 | 3.0 | 0.30 | 0.16 | 24 | 54 | 1.5 | 1.1 |
| | あじと水菜のごま風味サラダ | 81 | 216 | 22.9 | 10.8 | 5.7 | 664 | 147 | 88 | 1.9 | 0.16 | 0.29 | 24 | 77 | 1.9 | 1.7 |
| 飲むサラダ　野菜の栄養をまるごといただく | ほうれん草とかぼちゃの豆乳スープ | 84 | 151 | 8.2 | 3.5 | 22.3 | 968 | 65 | 373 | 4.2 | 0.15 | 0.19 | 46 | 0 | 4.4 | 1.1 |
| | 菜の花とれんこんのすり流し汁 | 85 | 51 | 3.4 | 0.1 | 10.8 | 483 | 80 | 72 | 1.5 | 0.13 | 0.14 | 76 | 0 | 2.7 | 1.4 |
| | コーンとしめじの中国風スープ | 85 | 80 | 4.8 | 3.0 | 10.1 | 211 | 22 | 44 | 0.3 | 0.08 | 0.19 | 4 | 105 | 2.9 | 1.5 |
| | ひよこ豆入り野菜スープ | 86 | 80 | 4.0 | 0.9 | 15.0 | 468 | 58 | 260 | 1.2 | 0.11 | 0.10 | 32 | 0 | 5.5 | 1.3 |
| | 豆乳ガスパチョ | 87 | 74 | 4.9 | 2.2 | 9.6 | 534 | 37 | 56 | 1.1 | 0.10 | 0.05 | 20 | 0 | 1.8 | 1.0 |
| | ビーツのポタージュ | 87 | 171 | 4.9 | 9.0 | 18.0 | 494 | 125 | 71 | 0.2 | 0.10 | 0.19 | 21 | 25 | 1.6 | 1.5 |
| | 小松菜入り豆乳 | 88 | 151 | 7.6 | 7.2 | 15.3 | 476 | 164 | 78 | 0.4 | 0.11 | 0.09 | 12 | 0 | 1.8 | 0.1 |
| | にんじんとあんずのドリンク | 88 | 141 | 3.2 | 0.2 | 35.4 | 563 | 39 | 534 | 0.7 | 0.03 | 0.04 | 6 | 0 | 4.5 | 0.1 |
| | きなこほうれん草ミルク | 88 | 286 | 14.4 | 11.0 | 35.3 | 999 | 352 | 255 | 1.4 | 0.25 | 0.54 | 21 | 27 | 3.4 | 0.3 |
| | トロピカルフルーツとにんじんのドリンク | 89 | 112 | 2.9 | 1.8 | 22.6 | 467 | 99 | 413 | 1.4 | 0.08 | 0.15 | 50 | 6 | 3.6 | 0.1 |
| | アップルグリーンドリンク | 89 | 87 | 1.5 | 0.3 | 22.4 | 430 | 37 | 143 | 1.0 | 0.07 | 0.10 | 32 | 0 | 2.9 | 0 |
| | プチトマトとカリフラワーのイタリアンドリンク | 89 | 54 | 1.9 | 2.1 | 8.6 | 396 | 19 | 84 | 1.1 | 0.09 | 0.08 | 52 | 0 | 2.1 | 0.4 |
| | ブロッコリーとパイナップルのヨーグルトドリンク | 90 | 115 | 5.4 | 3.8 | 15.9 | 340 | 138 | 65 | 1.1 | 0.11 | 0.24 | 51 | 13 | 1.9 | 0.2 |
| | 赤い野菜のヨーグルトセーキ | 90 | 112 | 4.8 | 3.3 | 16.7 | 441 | 135 | 113 | 2.9 | 0.11 | 0.23 | 97 | 13 | 1.6 | 0.1 |
| | ほうれん草と青じそのドリンク | 90 | 60 | 0.9 | 0.2 | 15.6 | 322 | 20 | 116 | 0.9 | 0.05 | 0.07 | 15 | 0 | 2.4 | 0.1 |
| | パプリカとキウイのドリンク | 91 | 48 | 0.7 | 0.1 | 12.2 | 183 | 16 | 8 | 1.3 | 0.02 | 0.02 | 74 | 0 | 1.5 | 0 |
| | かぼちゃとアーモンドのホットドリンク | 91 | 289 | 9.4 | 14.3 | 32.6 | 690 | 219 | 308 | 8.5 | 0.15 | 0.44 | 34 | 19 | 4.2 | 0.2 |
| | さつまいものホットドリンク | 91 | 290 | 8.5 | 6.2 | 50.6 | 816 | 279 | 62 | 1.8 | 0.19 | 0.36 | 31 | 20 | 2.3 | 0.2 |

## 竹内 冨貴子
Fukiko Takeuchi

管理栄養士、ダイエットクリエイター。
竹内冨貴子・カロニック・ダイエット・スタジオ主宰。女子栄養大学 栄養学部卒業、同大学短期大学部講師などを務めるほか、雑誌や書籍、新聞、講演など幅広く活躍中。近著に『食べる美容事典』(講談社)、『スープジャー 野菜たっぷり 3分レシピ』(角川SSCムック)など。

きれいと健康シリーズ
## 美に効くサラダ

2015年6月22日　初版第1刷発行

著　者　竹内冨貴子
発行者　香川明夫
発行所　女子栄養大学出版部
http://www.eiyo21.com

〒170-8481
東京都豊島区駒込3-24-3
電話　03-3918-5411（営業）
　　　03-3918-5301（編集）
振替　00160-3-84647

印刷所　大日本印刷株式会社

＊乱丁本・落丁本はお取り替えいたします。
＊本書の内容の無断転載・複写を禁じます。また本書を代行業者等の第三者に依頼して電子複製を行うことは一切認められておりません。

ISBN978-4-7895-4501-3
©Fukiko Takeuchi 2015, Printed in Japan

## STAFF

ブックデザイン　菅谷真理子＋髙橋朱里（マルサンカク）
写真　南雲保夫
調理アシスタント　杉本由佳
イラスト　ノダマキコ
校正　滄流社
取材　草柳麻子

撮影協力　UTUWA

＊本書は『ヘルシーレシピシリーズ1～5』（女子栄養大学出版部）から一部抜粋して加筆・訂正を加え、あらたに取材した記事をあわせて構成・書籍化したものです。